はじめよう！ロブロックス ROBLOX

本書を購入する前に必ずお読みください

［本書を購入・購読した場合、以下のすべての項目に同意したものとさせていただきます。すべて自己責任の上、十分気を付けてご使用ください。］

- 本書は、メーカー公式の書籍ではありません、記載内容は公式の情報に基づくものではなく、2023年5月1日時点で著者および編集部が独自に調査したものであり、掲載されているデータ等はメーカー公式の情報に基づくものではありません。従ってメーカーは本書に関してまったく責任はありません。ご購入前にあらかじめご了承をお願いいたします。
- 掲載されているゲームのタイトルの一部は、著者・編集部で伝わりやすいよう独自に日本語翻訳したものになっています。
- 本書で紹介しているゲーム・サイト・動画などの内容に関するご質問は弊社では一切受け付けておりません。また、それらに関する記事は、本誌独自に調査したもので、各ゲーム・サイト・動画の制作者やウェブサイトの管理者は本書とは無関係です。お問い合わせなどは絶対になさらないようお願いします。
- 本書に記載している攻略テクニックは、ロブロックスやゲームのアップデートや更新によって利用できなくなる可能性もあります。あらかじめご了承ください。

目次 CONTENTS

第1章

基礎知識編

naruto
無料
naruto
5
naruto
5

スタイル
髪
スキン
定番の頭
定番の顔
その他
おすすめ

アバター
0

カスタマイズ

続ける
COMMANDER
ADOPT ME!
BROOKHAVEN
Adopt Me!
イカゲーム
おすすめ

洋服の順序を調整
0

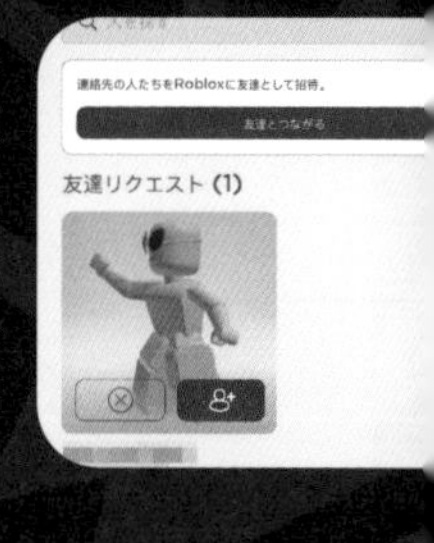
友達リクエスト (1)

Roblox(ロブロックス)っていったいどんなもの?

『Roblox(ロブロックス)』は、全世界で遊ばれているゲーミングプラットフォーム。ユーザーが作ったさまざまなゲームを遊ぶことができるほか、自分でゲームを作ることもできる。2022年には月間のアクティブユーザーが1億5000万人、1日のアクティブユーザーが5,880万人にも到達し、世界中で大人気となっているのだ。

『ロブロックス』には個人・企業が制作した無数のゲームが存在するのだ。

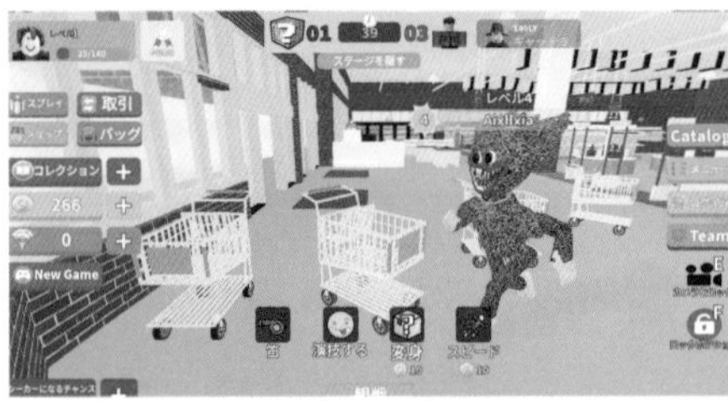

Robloxの歴史

『ロブロックス』の歴史は意外と古く、最初のリリースは2006年。『マインクラフト』よりも前にリリースされている(『マインクラフト』の正式リリースは2011年)。2010年代後半からYouTubeなどで紹介されることで人気に火が付き、パソコンだけでなくスマホ(iOS/Android)、Xbox Oneなどで遊ぶことができるようになっている。

ゲーム内の課金などはクリエイターにも還元されるようになっている。外出自粛を余儀なくされたコロナ禍でゲームの数やプレイヤー数が爆発的に伸びた。

Robloxではこのようなゲームを遊べる

『ロブロックス』ではユーザーが作ったゲームを遊ぶことができる。ジャンルはロールプレイング、格闘ゲーム、障害物レース、シミュレーションゲームなどさまざまで、人気のものになるとプレイ数がのべ10億回以上にも達している。中にはブランドショップが公式で作っているゲームなどもある。オススメのゲームは第2～5章で紹介しているぞ。

アクション

ジャンプする、攻撃するなどのアクション要素のあるゲーム。

シューティング

相手を銃などで撃つゲーム。ゲームによって一人称視点、三人称視点などの違いがある。

オビー

いわゆるアスレチック。障害物レースのように離れた足場や狭い道を渡る。

タイクーン

お金を稼ぐ、経営するなどの要素のあるゲーム。言葉の由来は日本語の「大君」から。

POINT

中にはちょっと怪しげなゲームも!?

数あるゲームの中には、マンガやアニメを題材にしたものもあるが、許可を取っているか疑わしいものも……。

CHECK! 02

ユーザー登録と始め方

『ロブロックス』で遊ぶには、最初にユーザー登録をする必要がある。ユーザー名とパスワードを入力するだけで簡単に登録できるぞ。ただし、ユーザー名は、すでに登録しているプレイヤーと同じ名前が使えない。後ろに数字を付けるなどして違う名前にするなどして工夫しよう。

アプリや公式サイトから登録しよう

第1章 基礎知識編

1 『ロブロックス』を起動する

スマホアプリ版の『ロブロックス』を起動すると、このような画面が表示される。まずは「新規登録」をタップ。

2 必要事項を入力していく

記入する必要があるのは生年月日、ユーザーネーム（名前）、パスワードだ。性別は任意なので入れなくてもOK。

3 「新規登録」ボタンを押せばスタート

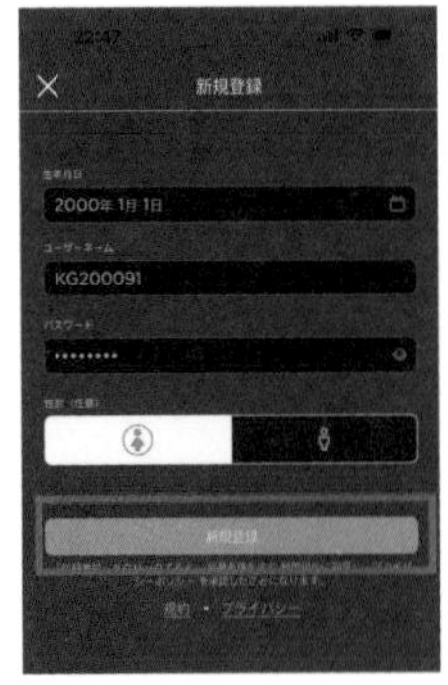

問題無ければ「新規登録」で開始できる。ユーザーネームは、数字を入れるなどしてすでにいるユーザーとかぶらないようにする必要がある。

POINT

パソコンから登録する場合は？

公式サイト（https://www.roblox.com/）にアクセスすれば同じ画面が表示されるのだ。

ホーム画面の見方

ホーム画面では下部と右上のアイコンを押すことで、さまざまな機能を使うことができる。

下部の「見つけよう」はゲームを探すことができる、「つながろう」ではフレンドとチャットをしたり、グループを作ることが可能だ。各機能については次のページ以降で説明をしていくぞ。

左からホーム、見つけよう、
アバター、つながろう、その他

メールアドレスを登録しておけば安全!

『ロブロックス』のアカウントはユーザーネームとパスワードだけでログインできるが、メールアドレスを連携することで、パスワードを忘れてしまったときでもログインできるようになる。Gmailなどのフリーメールでいいので、メールアドレスを取得し、登録しておくのがオススメだ。

1 「その他」の「設定」を開く

下部の一番右の「その他」アイコンをタップしてから「設定」を押す。

2 「メールアドレスを追加」を押す

「設定」の「アカウント情報」を開き、「メールアドレスを追加」を押す。届いたメールのリンクをタップすれば連携完了となる。

各モードのおもな項目

それでは『ロブロックス』のメニューでどんなことができるか見ていこう。前のページで紹介したホーム画面の下部のアイコンをタップすればメニューを選択することができるぞ。

POINT

パソコン版でもメニューの内容は同じだ

パソコン版の『ロブロックス』では『Roblox Player』というソフトを使う。メニューアイコンの位置は違うが、内容はスマホ版と同じとなっている。

「見つけよう」でゲームを探す

「見つけよう」のアイコンからはゲームを探すことができる。ゲームのアイコンをタップすればすぐに開始できる。

ゲームはいろいろなテーマごとに並んでいる。ジャンルから探すこともできるのだ。

POINT

検索欄から探してもOK

ゲーム名がわかっている場合などは右上の虫眼鏡のアイコンをタップしてから名前で探すことができるぞ。

「アバター」で自分をカスタマイズ

下部中央のアイコンをアイコンをタップすると、「アバター」を変更することができる。「アバター」とは自分の分身となるキャラクターのことで、服装や顔、頭の形など、多数の項目をカスタマイズ可能だ。

ただし、服などの多くは有料アイテムとなっており、残念ながら無料ではできることが限られている。

プロフィール写真を変更する

1 体型も変えられるのだ

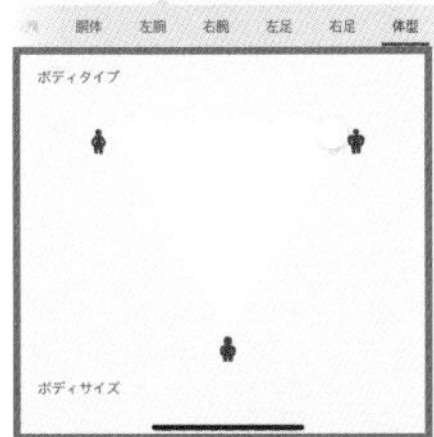

アバターのカスタマイズでは体型も変えることができる。自分の理想のアバターを作り出してみよう。

2 プロフィール写真を変える

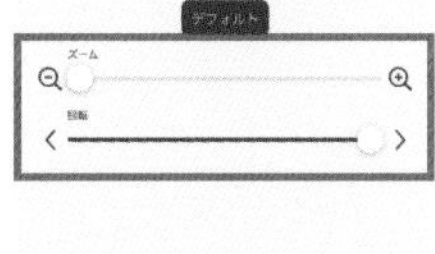

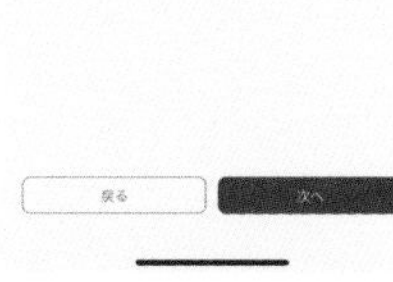

プロフィール写真はその時点のアバターをもとに作られる。アングルや向きなども変えてみよう。

POINT

個人が作ったアイテムも購入できる

検索欄で衣装の名前やアニメやゲームのキャラクターなどを英語で入力すると、個人が作ったアイテムも出てくるのだ。

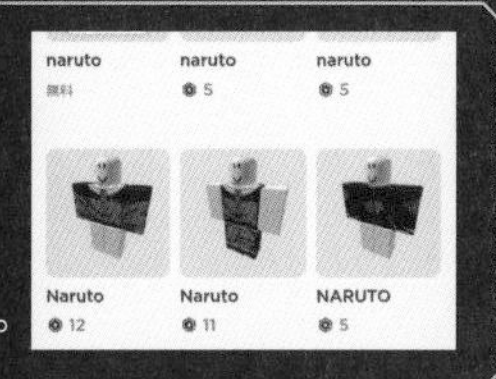

「つながろう」でフレンドを作る

「つながろう」はフレンドやグループといった、ユーザー同士のつながりを作る機能だ。グループは最大100個まで参加することができる。たとえば家族、学校の友達のグループといった形で、いくつかのグループに参加してもOKだ。フレンドの作り方は以下のとおり。フレンドになれば、『ロブロックス』でテキストメッセージを送ったり、チャットをすることもできる。

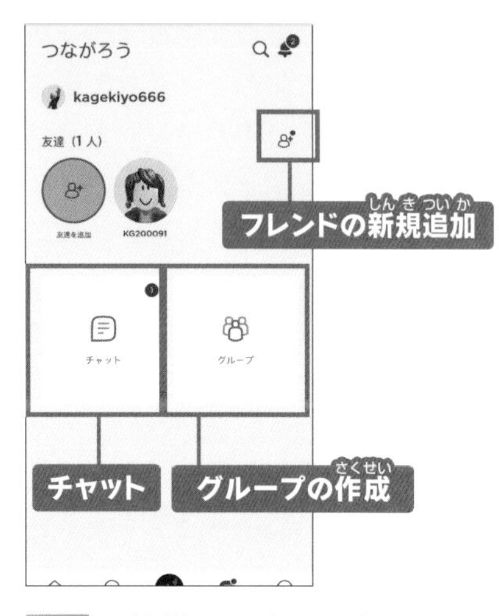

1 名前で検索する

相手のユーザーネームがわかっている場合は、「友達を追加」から名前で検索してみよう。

2 「友達を追加」を押す

フレンド申請したい相手をタップして「友達を追加」を押す。

3 申請が届く

相手側に申請が届く。相手が「通知」から「承認する」を押せばお互いがフレンドになるぞ。

POINT ゲームからも申請できる

同じゲームをプレイしている人をタップすれば、フレンド申請することもできる。リクエストが届くこともあるのだ。

第1章 基礎知識編

「その他」からできること

「その他」はおもに自分のアカウントに関する変更などを行うことができる。この中で「ブログ」は『ロブロックス』の開発スタッフによるメッセージを見ることができるが、こちらは英語表記となっている。「制作」はパソコンでのみできるもので、第6章で紹介しているぞ。

そのほかのおもな項目については以下で紹介しているので、参考にしてほしい。

1 プロフィールの変更

「プロフィール」では最初にアカウントを作成したときに決めた情報の変更やメールアドレスの設定などができる。

2 持っているアイテムの確認

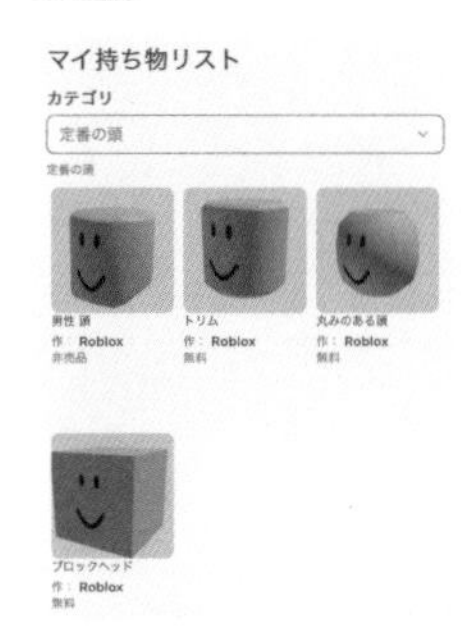

「持ち物リスト」では自分が所持しているアバター用のアイテムなどの確認ができる。

3 通知設定

「通知」は『ロブロックス』でのメッセージなどが届いた際にスマホやタブレットに通知が表示されるかどうかなどの設定ができる。

4 アカウントのログアウト

「その他」の一番下にはログアウトボタンがある。別のアカウントでログインする際には、このボタンを押すことでいったんログアウトできる。

CHECK! 04

『ロブロックス』のゲームの操作方法

『ロブロックス』内のゲームはさまざまな方法で遊ぶことができる。操作方法はスマホ・パソコンで異なるほか、コントローラー（別売り）を接続して遊ぶ、ということも可能となっている。

パソコン版

スマホ／タブレット版

POINT

ゲームによって操作方法は変わるぞ

ここで紹介した操作方法は、あくまで基本的な操作方法。ゲームによってはほかのキーを使用したり、下に『マインクラフト』のようなアイテムバーがあるゲームもある。

『ロブロックス』の課金要素

『ロブロックス』内のゲーム用通貨のことを「Robux（ロバックス）」という。『ロブロックス』における課金要素だ。これを使うことでアバターを購入したり、ゲーム内で有利になるアイテムを購入することなどが可能となる。無課金でも遊べるゲームは多いので、購入するときにはよく検討してから行おう。

Robux	価格	1Robuxあたりの値段
80	¥160	¥2
400	¥800	¥2
800	¥1600	¥2
1,700	¥3200	¥1.88
4,500	¥8000	¥1.77
10,000	¥15,800	¥1.58
22,500	¥31,800	¥1.41

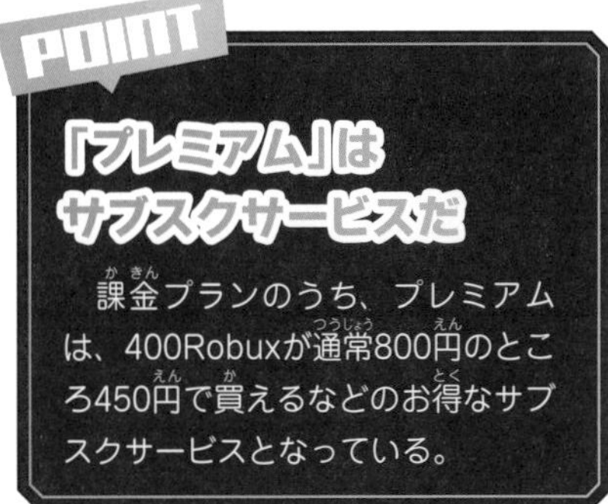

POINT

「プレミアム」はサブスクサービスだ

課金プランのうち、プレミアムは、400Robuxが通常800円のところ450円で買えるなどのお得なサブスクサービスとなっている。

「Robux」のおもな用途

1 アバター用アイテムの購入

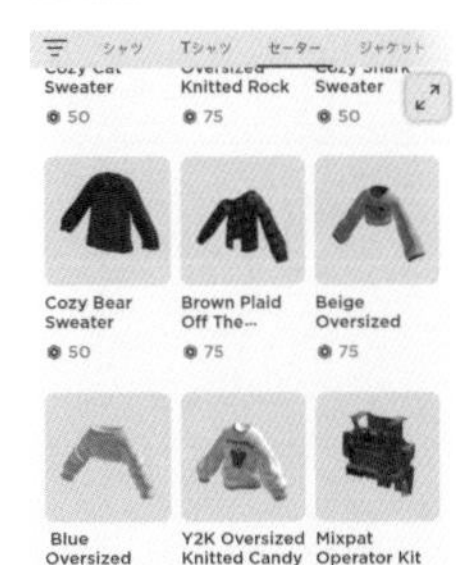

自分のアバターに装着できるアイテム。オシャレなアイテムは有料であったりすることが多い。

2 ゲーム内アイテムの購入

各ゲーム内のアイテムやお金をRobuxで購入できる形になっているものも多い。

お子さんに安全に遊んでもらうために

『ロブロックス』ではユーザーが作ったさまざまなゲームを遊べるというメリットがある一方、暴力的な表現のゲームがあったり、ゲームの課金システムが不透明、ユーザーどうしの交流を見ることができないなど、子供だけで遊ぶには不安な点があるのも事実。安全に遊べるような機能もあるので、うまく使って子供が楽しく遊べるように利用しよう。

「保護者コントロール」を設定する

「保護者コントロール」では年齢制限、設定変更のロックなどを行うことができる。「その他」→「設定」から変更しよう。

1 「保護者コントロール」を開く

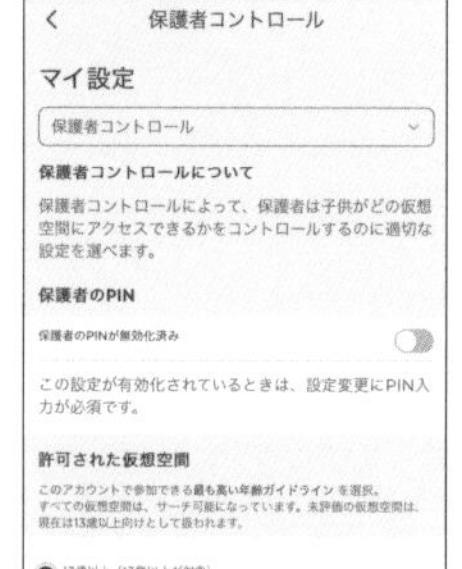

「その他」→「設定」→「保護者コントロール」とタップしていく。

2 「許可された仮想空間」を設定する

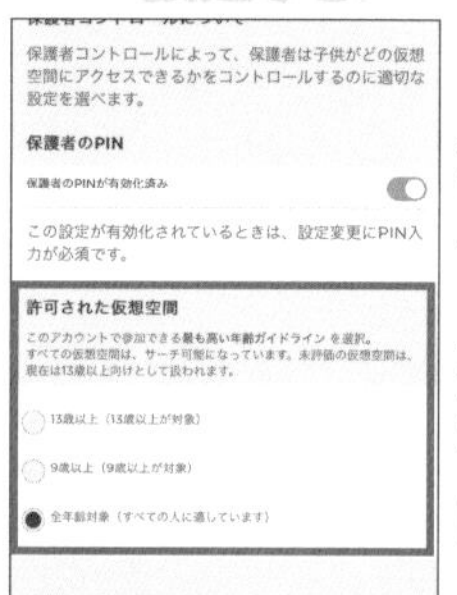

年齢制限のあるゲームのどれを遊べるようにするか設定する。もっとも低い年齢のものは「全年齢対象」となっている。

3 PINコードを設定する

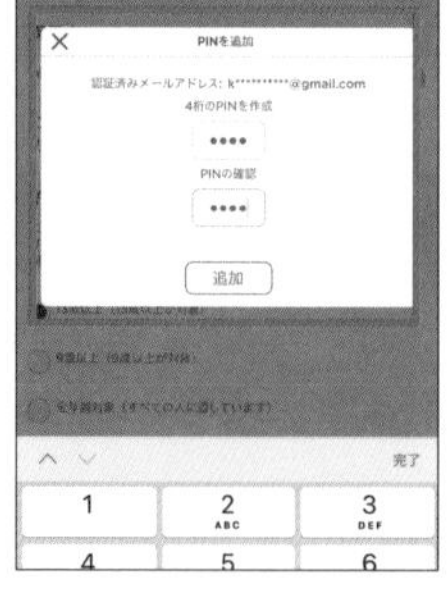

「保護者のPIN」でアカウントのPINコードを設定することができる。4桁の数字を入力しよう。

4 PINコードが設定される

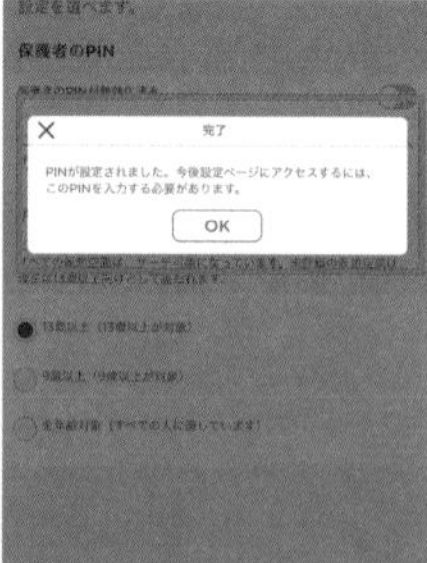

PINコードを設定すると、PINコードを入力しないと設定やアカウントを変更することができなくなる。

「セキュリティ」でログインに制限をかける

「セキュリティ」はログインする際に2段階認証が必要になるというもの。より強力なセキュリティとしては「Google認証システム」などのワンタイムパスワードだが、たとえば、子供に勝手にプレイしてほしくないというだけであればメールでセキュリティコードを受け取るだけでも充分だろう。

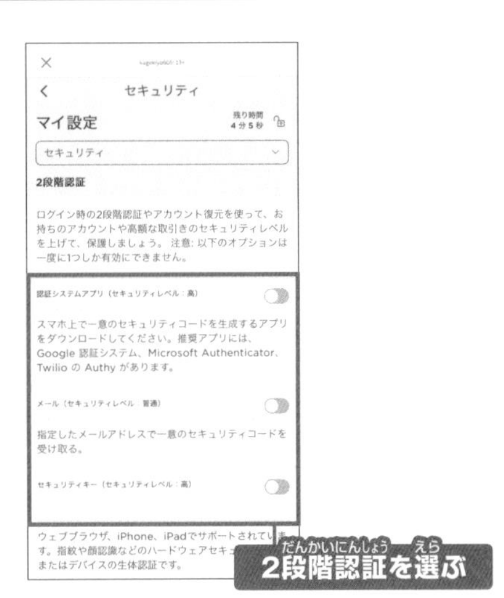

勝手に課金できないようにする方法

親にとって、もっとも心配なのは子供が勝手に課金をしてしまわないかかどうかだろう。スマホ／タブレットの場合、顔認証や指紋認証があれば基本的には心配ない。パソコン版をプレイしている場合は、ブラウザの環境設定で、クレジットカードの自動入力をオフにしておこう。または『ロブロックス』をプレイするブラウザを分けるのもいいだろう。

1 スマホ／タブレットの場合

システムはほかのゲームなどの課金と同じなので、指紋認証やパスワードの設定等で親が管理するようにしておこう。

2 「許可された仮想空間」を設定する

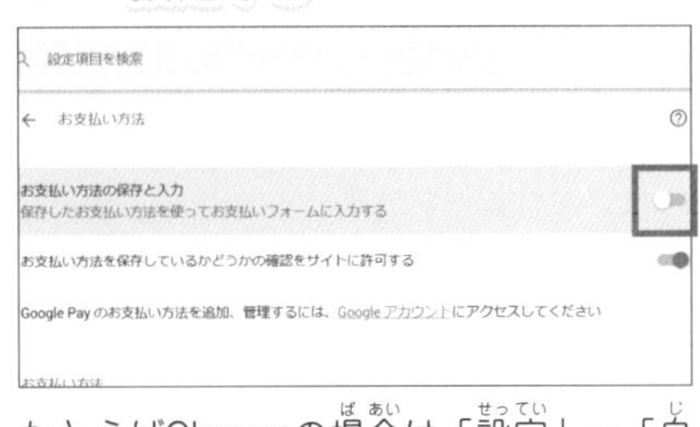

たとえばChromeの場合は「設定」→「自動入力」→「お支払方法」→「お支払方法の保存と入力」をオフにしておこう。

チャットなどの機能に制限をかける

『ロブロックス』では不特定多数の人と交流できるが、チャットやメッセージのやり取り可能なプレイヤーの範囲を制限することができる。

なお、アカウントの生年月日を13歳以下にしている場合は、すべて「友達」までしかできないようになっている。

1 「プライバシー」を開く

「その他」→「設定」→「プライバシー」とタップしていく。

2 「コミュニケーション」の欄を変更する

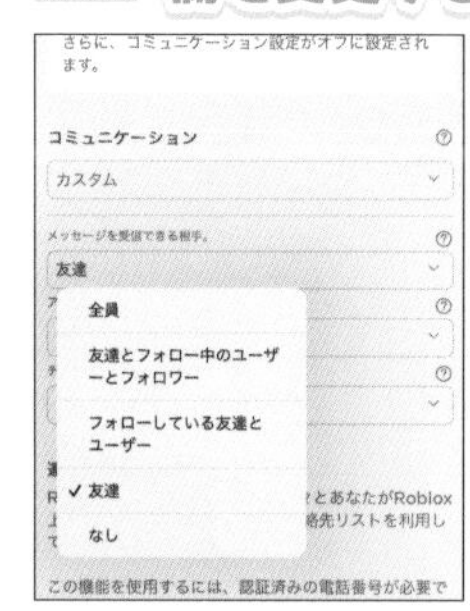

「コミュニケーション」のメッセージやチャットができる相手の範囲を変更しよう。

POINT

Robuxをお得にプレゼントする

ここまでさまざまな制限について紹介してきたが、逆に子供にRobuxをプレゼントする場合は、通常の課金よりもお得になる方法もある。

1つは「プレミアム」に入る方法、月額課金のサブスクサービスだが、入ってすぐ解約する形でもRobuxは入手できる（1か月ぶんの料金はかかる）。

もう1つはAmazonなどで購入できるギフトカードを購入する方法。通常の課金よりも安い上にアイテムなども付いてお得となっている。

▶プレミアム会員メンバーシップ

月額800円、1,600円、3,200円のプランが用意されている。いずれも通常の課金よりもお得で、ゲーム内で有利になる機能も多い。

▶Robloxギフトカード

Amazonで購入できるギフトカード。通常の課金よりもお得だが、引き換えコードがメッセージで送られてくるので、少々わかりづらい。

『ロブロックス』について知っておくと便利なこと

そのほか、知っておくと便利なことを以下にまとめたぞ。ぜひ参考にして『ロブロックス』を楽しくプレイしよう！

フレンドのゲームに参加する

フレンドがプレイしているゲームに参加する場合は、フレンドをタップすることで、遊んでいるゲームが表示される。「参加」を押せばそのゲームに入ることができる。ただし、フレンドがプレイしている場所はわからないため、それはチャットやメッセージなどで聞くしかないので気を付けよう。

無料でアバターを充実させたい

アバターショップには無料のアイテムも多数並んでいる。アバターショップの検索で「free」と入力すると、無料のアイテムがズラッと並ぶので、ぜひ入手してみよう。　なお、ゲームの中には、ゲーム内のチャレンジを達成することでアイテムがもらえるものもある。おもに本誌の第5章で紹介しているぞ。

公式サイト引き換えコードを使おう

公式サイトのページ（https://www.roblox.com/redeem）にアクセスしてコードを入力するとアイテムをゲットすることができる。引き換えできるコードは、「TWEETROBLOX」、「SPIDERCOLA」の2種類だが、期間限定で追加されることもある。

ゲームを探してみよう!

『ロブロックス』の「見つけよう」ではゲームを選んでプレイできるが、公式サイトのゲーム紹介ページから遊ぶ、という方法もある。本誌ではこの紹介ページをQRコードで掲載しているぞ。

本誌紹介ページからアクセスする

まずはスマホ／タブレットにQRコードを読み取るアプリを入れておこう。それを使って本誌のQRコードを読み取る。公式サイトのゲーム紹介ページにアクセスすれば成功だ。パソコン版の場合はURL（数字まででもOK）かタイトルで検索するなどして探そう。

1 QRコードを読み取る

本誌で紹介しているQRコードを読み取る。もしくはURLをブラウザで入力してもOK。URLは数字まで入力すれば受け付けてくれるぞ。

2 『ロブロックス』のサイトかチェック

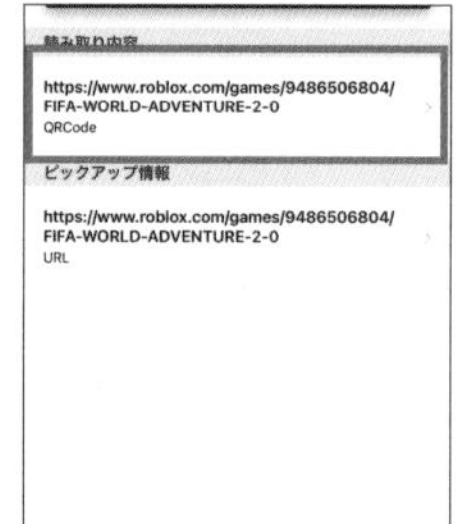

URLが「http://www.roblox.com～」から始まるものになっているか確認してアクセスしよう。

再生ボタンを押せばゲームが始まる!

サイトの再生ボタンを押すと、そのまま『ロブロックス』でゲームが始まるぞ。パソコン版も同じように紹介ページから起動できる。

第2章

アクション・シューティング編

怪我をすればするほど高得点!

ブローケン・ボーンズVベータ

URL | https://www.roblox.com/games/11179373590/CODE-Broken-Bones-V-BETA

高評価 ▶ 90%　訪問者数 ▶ 1960万

高いところから飛び降り、一番下に着くまでになるべくたくさんぶつかって骨を折るゲーム。怪我をすればするほどポイントが手に入って、レベルが上がっていくのだ。

高い崖の上からジャンプ！ 岩や木にぶつかって、どんどん骨折していくのだ。

大ジャンプで骨を折りまくれ!

こんな動画で紹介されたよ!

▶ マエスケ

課金して骨を折りまくるロブロックス(Roblox)

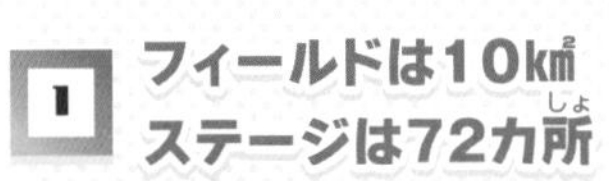

1 フィールドは10㎢ ステージは72カ所

最初に飛び下り地点を決める。レベルが上がれば行ける場所が増えるぞ。

2 下に着いたら折れた部分をカウント

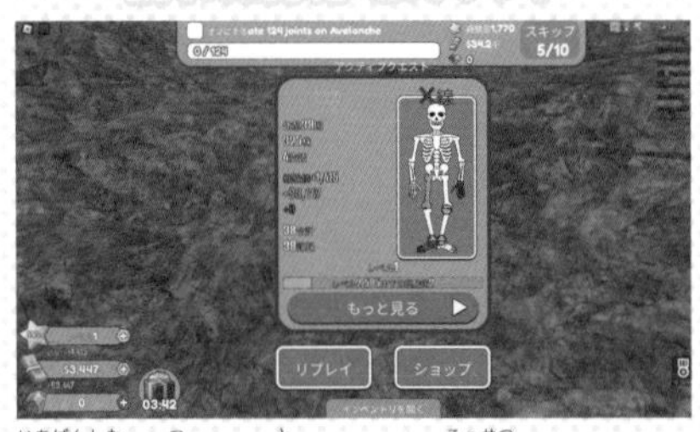

一番下に着いて止まると、骨折のリザルトが表示されてポイントが入る。

イモムシになってどんどん成長しよう!

ワームフェイス!

URL | https://www.roblox.com/games/5942932659/Wormface

高評価 ▶ 68%　訪問者数 ▶ 2.5億

イモムシのような姿となって、体をどんどん長くしていくゲーム。落ちている食べ物を食べると長くなっていくのだ。ほかのプレイヤーを相手にできる対戦モードもあるぞ。

ひたすらに食べてどんどん長くなっていく。顔だけは元の姿となっているぞ。

うねうね動いて長くなろう!

こんな動画で紹介されたよ!

▶ まいぜんシスターズ

敵を食べて大きくなるゲームで1位を目指した結果！？【ROBLOX・ロブロックス】

1 対戦モードでは相手を食べ物にできる

ほかのプレイヤーの体に顔から突っ込むと、体が全部食べ物になってしまう。

2 自分が食べ物になってしまわないように注意!

ほかのプレイヤーを食べ物にして一気に成長するチャンスだが、やられる危険もある。

何よりも速く！　とにかく遠くへ走れ！

最高スピード

URL | https://www.roblox.com/games/10979991953/Max-Speed-Update-29

高評価 ▶ 96%　訪問者数 ▶ 9550万

スピードをひたすらに上げて、制限時間内にどこまで遠くへ行けるかを競うレースゲーム。スタート時にクリックを連打してスピードを溜め、最高速度で飛び出そう。

カーブなどなく、ひたすらに真っすぐ走る。レベルが上がると乗れる乗り物が増えるぞ。

マシンが欲しい？なら走ろう！

こんな動画で紹介されたよ！

▶ タコボンド

クリックすると乗り物が速くなるロブロックスをやりこんだ【 Roblox 】

1 スタート前にクリック連打でスピードチャージ

プレイを続けて行くと最初から出せるスピードが大きくなっていく。

2 あとはとにかくひたすらにまっすぐ走る！

チェックポイントに到達するとトロフィーがもらえ、使える乗り物も増えていく。

広大な世界を冒険する超本格アクションRPG!

ワールド//ゼロ

URL | https://www.roblox.com/games/2727067538/World-Zero

高評価 ▶ 95%　訪問者数 ▶ 2.9億

20以上のダンジョンがある8つのワールドを冒険するアクションRPG。モンスターとの戦闘、マルチプレイ、アイテムの収集やペットの育成なども楽しめるぞ。

世界はどこにでも行くことができる。モンスターもうろついているので気を付けよう。

戦闘では派手な必殺技も使えるぞ!

こんな動画で紹介されたよ!

▶ りりちよ

今1番熱い初心者おすすめRPGマップ"World//Zero"を教えます -ロブロックス[りりちよ]

1 最初にクラスを選んで冒険がスタート

クラスによってパラメーターや技は変わってくる。ゲームを進めれば変更もできる。

2 クエストを受注して経験値やアイテムをゲット

各所でいろいろなクエストが発生する。ほかのプレイヤーと一緒に挑戦できるぞ。

立体機動装置で巨人に立ち向かえ!

最後の一息

URL | https://www.roblox.com/games/3224790922/Last-Breath

高評価 ▶ 86%　訪問者数 ▶ 6620万

『進撃の巨人』の巨人との戦いを忠実に再現したハイスピードなアクションゲーム。調査兵団の兵士となって、ハイスピードな動きで巨人に挑むのだ。

アンカーを利用した移動に、ガスの残量や交換式のブレードなどの要素も再現されている。

空中を駆け巨人に斬りつけろ!

こんな動画で紹介されたよ!

▶ タコボンド

ロブロックスで再現された『進撃の巨人』がすごすぎる【 Roblox 】

1 平地では馬を駆使して作戦区域へ駆け付けろ

立体機動装置が使えない場所では馬が重要。レベルが上がれば馬の種類も変えられる。

2 練習で立体機動を使いこなせるようになろう

左右のアンカーを交互に物に打ち込んで、空中を高速移動する。なかなか難しいぞ。

自分だけメックを組み上げてバトルに挑め!

MegaMech

URL | https://www.roblox.com/games/5036877531/MegaMech

高評価 ▶ 87%　訪問者数 ▶ 7250万

歩行型ロボットを組み上げ、宇宙人の部隊と戦うSFアクションシューティングゲーム。ロボットは好きなパーツを組み替えて、動きや武器を自由に設定できるぞ。

メックは二足歩行型だけでなく四足歩行型もある。新たな機能を追加することもできるぞ。

オリジナルのメックを操れ!

こんな動画で紹介されたよ!

▶ りりちよ

1から最強の自作ロボットを組み立てて宇宙人を倒すマップ"MegaMech" -ロブロックス[りりちよ]

1 パーツを組み上げて自分のメックを作れ

上半身と下半身、武装を変えられる。レベルが高くなれば使えるパーツも増える。

2 ストーリーモードでミッションを受注しよう

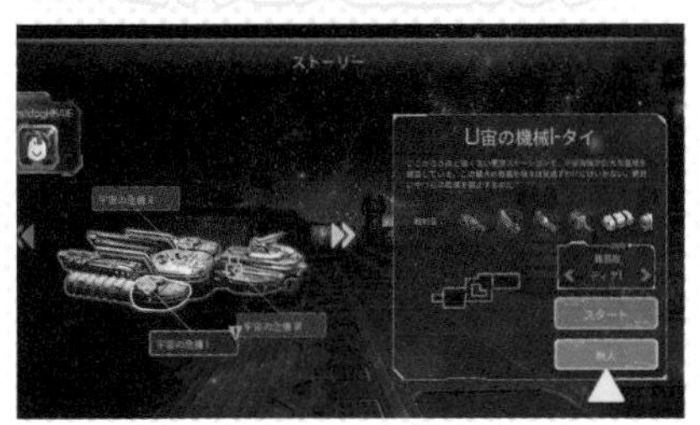

ストーリーモードでは様々なミッションに挑戦できる。プレイヤーとの対戦もあるぞ。

恐怖のキラー相手に最強の鬼ごっこが始まる!

サバイブ ザ キラー!

URL | https://www.roblox.com/games/4580204640/Survive-the-Killer

高評価 ▶ 89%　訪問者数 ▶ 15.9億

ゲーム『デッドバイデイライト』のシステムを参考にした、非対称型鬼ごっこゲーム。1人がキラーとなって、ほかのプレイヤーを全滅させるべく追い回すのだ。

逃げるプレイヤーは制限時間を生き残り、最後に開く出口から脱出すると勝ちだ。

今回のキラーは誰かな？

こんな動画で紹介されたよ!

▶ TAMAChan

恐怖のキラーが現れた！！仲間と協力して生き残れ！！【ロブロックス / Roblox】

1 待機場所も原作ゲームを再現しているぞ

ロビーのキャンプファイアの前に座ると、現在進行中のゲームの様子が見れる。

2 ゲーム開始時にステージを多数決で決定する

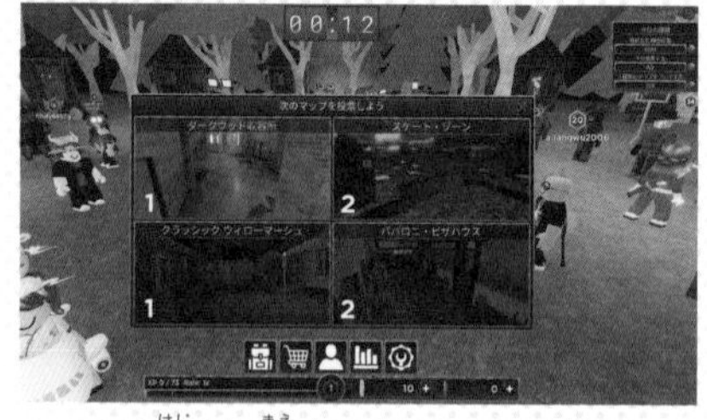

ゲームが始まる前に、4つのマップがランダムで提示され、多数決で1つに決められる。

死のゲームを生き延びろ!

Squid Game

URL | https://www.roblox.com/games/7549229959/Squid-Game

高評価 ▶ 85%　訪問者数 ▶ 11.4億

ネットフリックスのドラマ『イカゲーム』の世界を再現した、バトルロイヤル形式のミニゲーム。原作に登場した6種類のゲームをプレイできる。最後まで生き残れるか?

イカゲームの冒頭でプレイする「だるまさんが転んだ」スタイルのゲーム。アウトは即死だ。

待機場所でも油断できないぞ

こんな動画で紹介されたよ!

▶ まいぜんシスターズ

だるまさんがころんだバトルロイヤルをした結果!?

1 ゲームの内容は原作を忠実に再現

ガラスのつり橋。割れやすいガラスと割れないガラスのどちら?

2 アクション以外のゲームもプレイできる

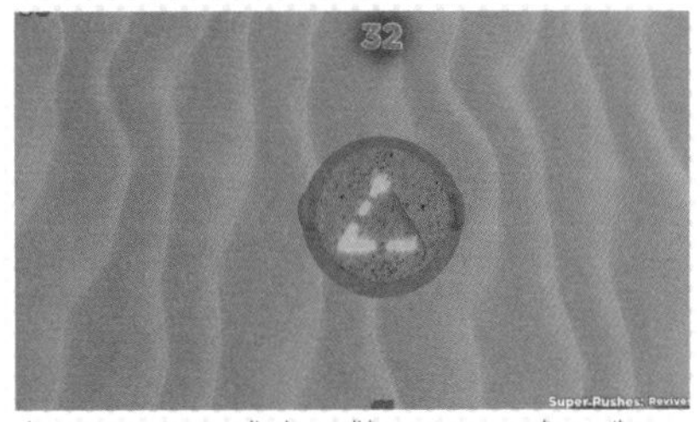

割れやすいお菓子を型どおりに割り抜く、いわゆる「型抜き」のゲーム。

ぶん投げて壊して体を鍛えろ!

Throw Stuff

URL | https://www.roblox.com/games/11856347808/Throw-Stuff

高評価 ▶ 70%　訪問者数 ▶ 553万

周りにある物を投げてバリケードを壊し、ステージを攻略するゲーム。投げれば投げるほど力が強くなっていくぞ。

力が強くなると重い物を投げられるようになり、新しいステージも解放される。

超危険なレールの上で宅配仕事!

カート乗車配送サービス

URL | https://www.roblox.com/games/11454403177/NEW-MAP-Cart-Ride-Delivery-Service

高評価 ▶ 68%　訪問者数 ▶ 1.2億

カートに乗ってレールの上の荷物を回収して届けに行くゲーム。レールから落ちないように運転する技術が重要だ。

武器を使って障害物や故障したほかのカートを排除する場面も出てくるぞ。

深い湖でトレジャーハンティングに挑戦

クイル湖でのスキューバダイビング

URL | https://www.roblox.com/games/35397735/Scuba-Diving-at-Quill-Lake

高評価 ▶ 92%　訪問者数 ▶ 1.1億

湖に潜って宝を探すゲーム。空気の残量を考えながら潜ってお宝を回収し、装備を強化してもっと宝を探そう。

湖底にはお宝と秘密が沈んでいる

最初は素潜りの状態。もっと深いところに潜るには装備が必要になる。

連続する自然災害から生き延びろ

自然災害サバイバル

URL | https://www.roblox.com/games/189707/Natural-Disaster-Survival

高評価 ▶ 90%　訪問者数 ▶ 23.7億

小さな島の中で次々発生する自然災害から生き延びるサバイバルゲーム。どこまで生き延びることができるか挑戦!

どんな災害がやってくる!?

竜巻、津波、さらには隕石まで、あらゆる災害が襲ってくるぞ。

簡単な質問が戦いの行方を決める!

Pick A Side

URL | https://www.roblox.com/games/663655429/Pick-A-Side-Side

高評価 ▶ 81%　訪問者数 ▶ 2.5億

表示される質問に同じ回答をしたプレイヤーたちとチームを組み、相手チームとバトルをするゲームだ。

多数派になるのを、狙うのもアリだ

人数が少ない側は、制限時間が来るまで生き延びるのが目的になる。

同じ色の食べ物を集めて食べまくれ!

同じ色の食べ物チャレンジ

URL | https://www.roblox.com/games/11639667117/New-Code-Eat-Same-Color-Food-Challenge

高評価 ▶ 82%　訪問者数 ▶ 7290万

スーパー内で自分のチームの色の食材を集めるゲーム。集めた食材を調理して食べるとポイントが入るのだ。

たくさん集めて料理&食事

集める人、調理する人、食べる人を分けると、効率よくポイントが得られるぞ。

巨大ボスのラッシュを戦い抜け!

メガボスサバイバル

URL | https://www.roblox.com/games/3271747724/EASTER-MEGA-Boss-Survival

高評価 ▶ 71%　訪問者数 ▶ 2360万

ラウンドごとに巨大なボスが次々現れるサバイバルゲーム。制限時間内に倒すか生き延びるか選んで動こう。

全部のステージがボスバトル!

ボスは116種類。マップは24個。コンプリートできるか挑戦してみよう。

超常存在を確保・収容・保護せよ

SCPゲームとSCPモンスター

URL | https://www.roblox.com/games/7253149844/SCP-Games-and-SCP-Monsters

高評価 ▶ 80%　訪問者数 ▶ 3.1億

危険な存在を収容する機関『SCP財団』の職員となり、脱走を企てる危険生物に対処するゲーム。

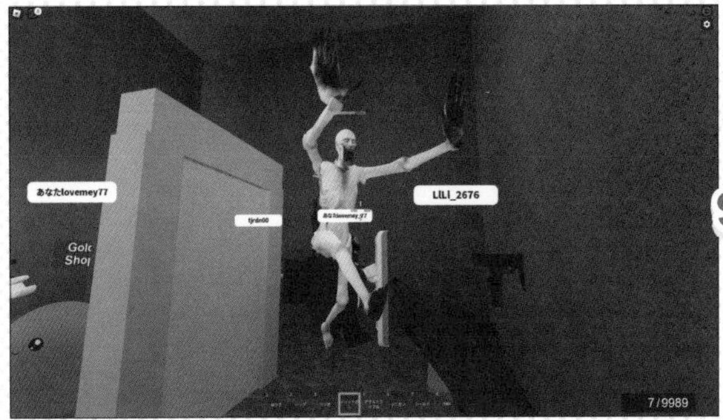

SCP-096、049、682なども登場!

8分ごとに脱走事件が発生。18分ごとに巨大生物が機関を襲撃してくるぞ。

海から迫る超巨大な捕食者から逃げ延びろ!

メガシャークサバイバル

URL | https://www.roblox.com/games/3500202081/Mega-Shark-Survival

高評価 70%　訪問者数 67.2万

古代の超巨大ザメ、メガロドンから逃げて生き延びるゲーム。泳いで逃げられる相手じゃないぞ。頭を使っていこう。

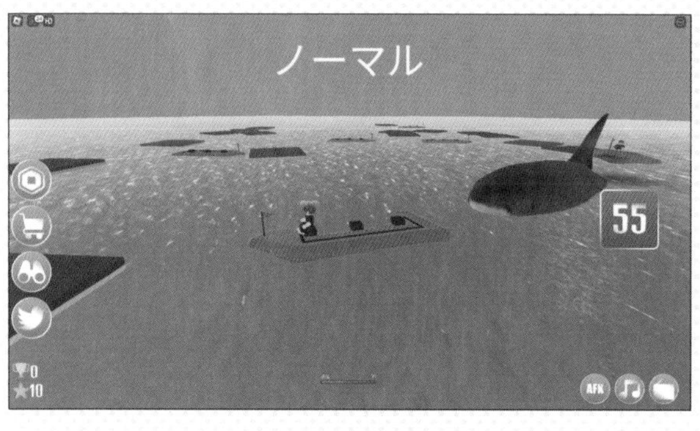

水の上も安全じゃないぞ!

無重力で空を飛ぶサメ、モササウルスなど、メガロドン以外の生物も襲ってくる。

恐怖の人食い列車を撃破せよ!

食べる列車のエドワード

URL | https://www.roblox.com/games/10875701453/Edward-the-Man-Eating-Train

高評価 84%　訪問者数 6980万

凶悪な人食い列車のエドワードを倒して乗っている列車を守るゲーム。カニのようなモンスター列車が相手だ。

武器を揃えて怪物に立ち向かえ

駅のある町で武器を買って強化しよう。弱い武器ではエドワードは倒せないぞ。

湖の上でのんびりクルーズはできないぞ

シャークバイト

URL | https://www.roblox.com/games/734159876/SharkBite-1

高評価 ▶ 89%　訪問者数 ▶ 14.7億

ボートに乗った人間と、湖を泳ぐサメに分かれてプレイする非対称型対戦ゲーム。続編のシャークバイト2もあるぞ。

水中から突撃!
水上から射撃!

人間側はサメを武器で攻撃し、サメはボートを破壊して咬みついて攻撃する。

戦場は水中!　やるかやられるかだ!

ハイタイド:シャークス vs ダイバーズ

URL | https://www.roblox.com/games/3094145417/High-Tide-Sharks-vs-Divers

高評価 ▶ 75%　訪問者数 ▶ 449万

宝箱へ向かう潜水艦を護衛するダイバーと、それを襲うサメに分かれてプレイする対戦型ゲーム。

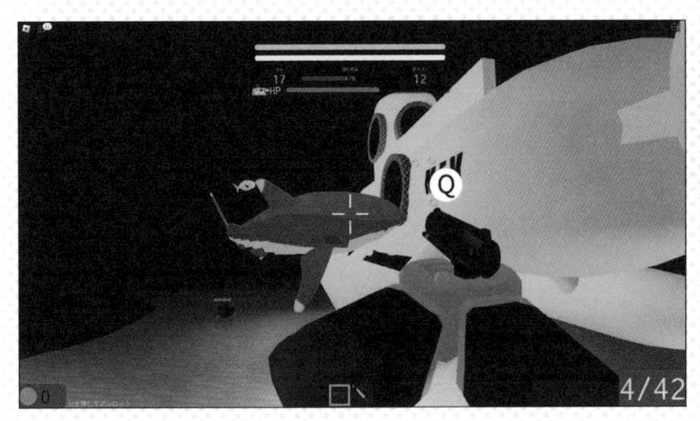

サメの種類と
武器が選べる

相手を20回倒すか、サメは潜水艦を破壊、ダイバーは宝箱に到着すれば勝利だ。

小さくなって鬼ごっこを楽しもう!

メガハイド&シーカー!

URL | https://www.roblox.com/games/5708035517/Mega-Hide-and-Seek

高評価 ▶ 88%　訪問者数 ▶ 1.6億

小人になって巨大な家でプレイするかくれんぼ。隠れ場所も多く、変則ルールもありと、シンプルだが奥が深いのだ。

ルールを変えても楽しめる!

捕まると自分も鬼になる「ゾンビ」や、脱走が可能な「脱獄」といったルールもある。

見える場所に隠れている奴ほど見つからない?

ハイド&シーク: トランスフォーム

URL | https://www.roblox.com/games/5530512077/Catalog-Hide-and-Seek-Transform

高評価 ▶ 83%　訪問者数 ▶ 1.4億

物に変身して隠れるかくれんぼ。鬼の側は怪しそうな物をパンチして探す。自然に紛れられるように工夫しよう。

木を隠すなら森の中?

鬼のプレイヤーが間違った物を攻撃するとダメージが入る。慎重に選ぼう。

覇者となって恐怖の時代を生き延びろ!

恐怖の時代レトロ

URL | https://www.roblox.com/games/5267316755/Era-of-Terror-Retro-Egg-Stealing

高評価 ▶ 86%　訪問者数 ▶ 1070万

恐竜となって太古の世界で生き抜くサバイバルゲーム。巨大な恐竜となって世界を探索していこう。

巨大な生物が闊歩する世界

肉食恐竜だけでなく、トリケラトプス、ケツァルコアトルなどにもなれる

巨大雪玉を作って転がせ!

Snowballer Simulator

URL | https://www.roblox.com/games/6048370697/Snowballer-Simulator

高評価 ▶ 87%　訪問者数 ▶ 2030万

雪玉を転がして大きくするゲーム。大きくした雪玉は坂から転がし、ターゲットを壊してポイントを稼ぐのだ。

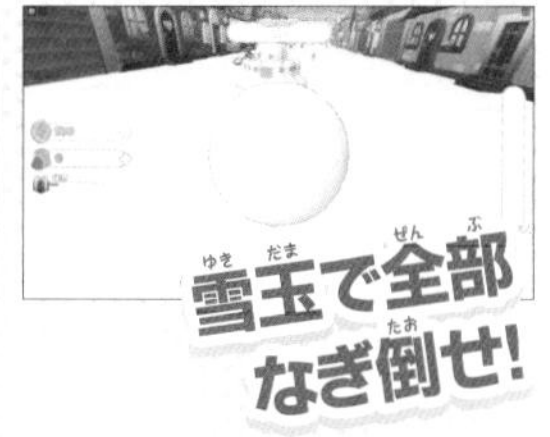

雪玉で全部なぎ倒せ!

ポイントをためてレベルを上げると、雪玉の最大サイズを大きくできるぞ。

ライトセーバーとフォースを使ったガチバトル!

サーベルの対決

URL | https://www.roblox.com/games/12625784503/Saber-Showdown

高評価 ▶ 89%　訪問者数 ▶ 772万

『スターウォーズ』のライトセーバーで戦うバトルロワイヤルゲーム。セーバーの色や形、剣術の型が設定できる。

フォースとともにあれ!

ライトセーバー投げやフォースでの攻撃と言った技を繰り出すこともできるのだ。

砦を作ってゾンビの襲撃を耐えしのげ!

アンデッドディフェンスタイクーン

URL | https://www.roblox.com/games/5670292785/Undead-Defense-Tycoon

高評価 ▶ 93%　訪問者数 ▶ 2.1億

ゾンビが徘徊する森の中で、砦を作って防衛するディフェンスゲーム。武器と設備を充実させて生き延びよう。

身を守るための武器と壁を用意!

建設を続けていくと要塞のようにできるが、ゾンビも大量に押し寄せてくるぞ。

高速移動と大ジャンプが入り乱れるバトル!

パルクール忍者になろう

URL | https://www.roblox.com/games/147848991/Be-A-Parkour-Ninja

高評価 ▶ 88%　訪問者数 ▶ 6.5億

高低差のあるフィールドでパルクールを使って戦う忍者バトルロワイヤルゲーム。手裏剣と刀で敵を倒せ!

フィールドは時間経過で切り替わる。いずれもアスレチック要素の強い場所だ。

好き勝手する犯罪者とそれを追いかける警官でバトル!

ジェイルブレイク

URL | https://www.roblox.com/games/606849621/Jailbreak

高評価 ▶ 88%　訪問者数 ▶ 62.6億

犯罪者と警察官に分かれてプレイする鬼ごっこゲーム。犯罪者は逃げるだけでなく強盗などもできるのだ。

警察は犯罪者を逮捕できるが、犯罪者の方も反撃ができる。決死の大捕り物だ。

『マインクラフト』×陣地戦な建築&バトルゲーム

ベッドウォーズ

URL | https://www.roblox.com/games/6872265039/BedWars-SHIELDER-REWORK

高評価 ▶ 83%　訪問者数 ▶ 63.8億

宙に浮かぶ自分の陣地から、足場を建設して相手の陣地に攻め込むバトルゲーム。資材の管理が重要なのだ。

ベッドがある それが拠点の証だ

『マインクラフト』のように素材を使ってブロックで足場を建築するのだ。

驚異のスーパーパワーで大暴れしよう!

エピックスーパーパワー

URL | https://www.roblox.com/games/7750581841/Blind-Reaper-Epic-Super-Powers

高評価 ▶ 70%　訪問者数 ▶ 93.7万

アメコミのヒーローやゲームのラスボスのような超強力な技が自由に繰り出せる、ド派手なバトルゲーム。

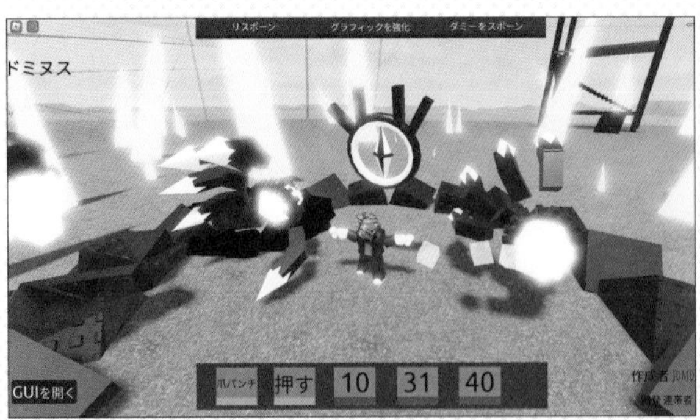

ほかではできない この超パワー!

キャラを選んで参戦し、フィールドで技を繰り出して破壊の限りを尽くそう。

ロケットランチャーから魔術までなんでもアリ

アーセナル

URL | https://www.roblox.com/games/286090429/Arsenal

高評価 ▶ 87%　訪問者数 ▶ 47.2億

2チームに分かれて銃で撃ち合う本格派FPSゲーム。さまざまな武器や装備を使って、相手チームを全滅させろ。

シールドやレールガン、呪文書などの特殊武器を使うこともできる。

おもちゃっぽいけれどバトルは本物

BIG Paintball!

URL | https://www.roblox.com/games/3527629287/BIG-Paintball

高評価 ▶ 85%　訪問者数 ▶ 15億

ペイント弾で撃ち合うサバイバルゲームを再現。バトルロワイヤル、陣地戦など、いろいろなルールがあるぞ。

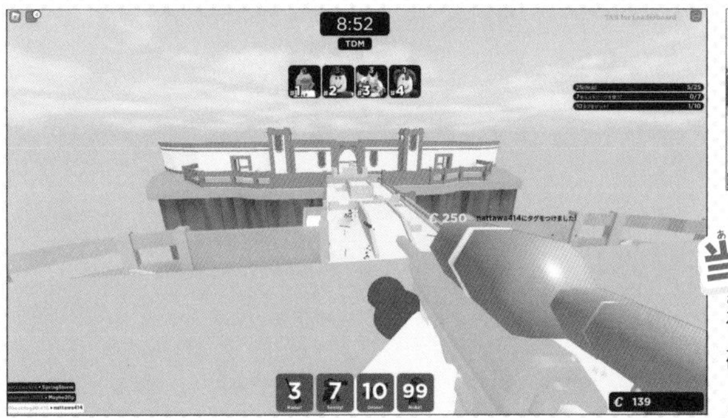

相手プレイヤーを連続で撃破すると、強力な武器を使える仕組みになっている。

あの建築+バトルのゲームを再現!

FORTBLOX!

URL | https://www.roblox.com/games/8884043854/NEW-FORTBLOX

高評価 ▶ 88%　訪問者数 ▶ 345万

『フォートナイト』をロブロックスで再現したバトルロワイヤル。最大の特徴である建築が可能なのだ。

本家と違って建築材料は採掘できず、アイテムとして拾うしかない。

トンネルを掘って旗を奪いに行こう!

国旗戦争!

URL | https://www.roblox.com/games/3214114884/Flag-Wars

高評価 ▶ 89%　訪問者数 ▶ 2.5億

2チームに分かれ、陣地にある旗を奪い合うフラッグ戦ゲーム。強力な武器を使って相手を排除しろ!

相手の陣地に行くには、スコップで地面を掘ってトンネルを作る必要がある。

疑心暗鬼を生み出す犯人捜しゲーム

Crewmates! (Among Us)

URL | https://www.roblox.com/games/5939428933/EASTER-Crewmates-Among-Us

高評価 ▸ 87%　訪問者数 ▸ 6.2億

宇宙が舞台の人狼ゲーム『Among Us』を再現。「乗組員」の中に紛れた「偽物」を探し出せ。

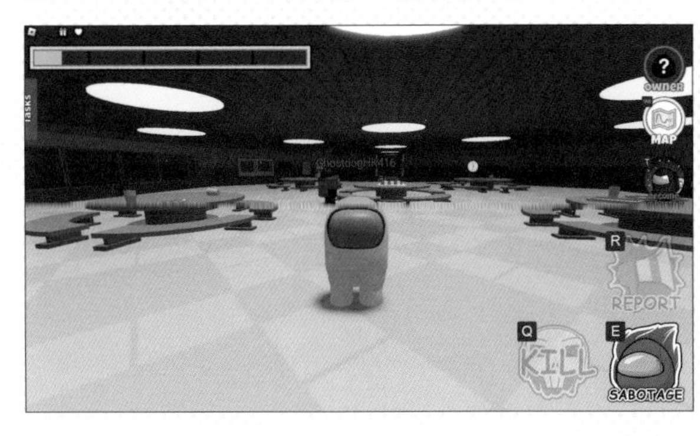

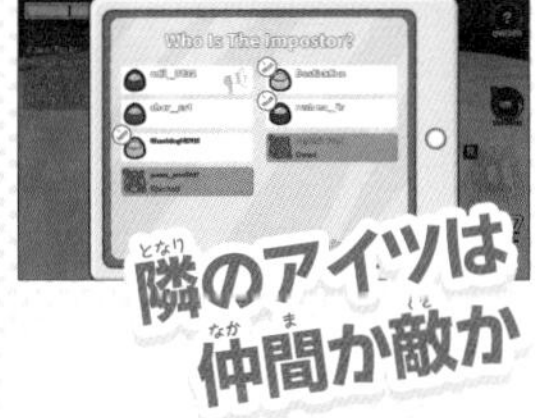

偽物にプレイヤーが殺されると、投票で追放するプレイヤーを選ぶ。偽物は誰だ？

狩る側と守る側のどちらが生き延びるのか？

殺人ミステリー2

URL | https://www.roblox.com/games/142823291/Murder-Mystery-2

高評価 ▸ 91%　訪問者数 ▸ 106億

市民、殺人犯、保安官に分かれてプレイ。殺人犯は市民の殲滅、保安官は殺人犯の撃破を目指そう。

誰が殺人犯かはすぐには分からない。保安官も倒されるので注意しよう。

おんぼろ機関車に乗って「チャーリー」を撃破しろ!

チュチュチャーリー

URL | https://www.roblox.com/games/9530814859/1M-Choo-Choo-Charlie

高評価 ▶ 71%　訪問者数 ▶ 850万

ゲーム『チューチューチャールズ』を再現。機関車に乗って島をめぐり、怪物機関車に立ち向かおう!

運転と攻撃を役割分担しよう

機関車に搭載した武器で怪物を撃退しながら、島の人々の依頼をこなしていくのだ。

120種類の落下ステージを攻略せよ

フリーフォール

URL | https://www.roblox.com/games/166731267/The-Dropper-120-LEVELS

高評価 ▶ 71%　訪問者数 ▶ 4.8億

さまざまな障害物が設置してある縦穴を、ぶつからないように落下するドロッパーゲーム。

落ちるだけで世界旅行気分

ステージごとに穴の中や入り口の見た目が毎回変化するので見飽きない。

戦車を操縦してライバルを蹴散らせ!

Tank Simulator

URL | https://www.roblox.com/games/4048936408/PVP-Tank-Simulator

高評価 ▶ 90%　訪問者数 ▶ 3960万

古今東西のさまざまな戦車に乗って、敵やほかのプレイヤーと戦う戦車シューティングゲーム。

戦場を駆け抜けて大砲をぶっ放せ!

戦車本体以外に、味方として随伴してくれる歩兵も召喚できるぞ。

中世の攻城戦をロブロックスで再現!

ボウ・ウォーズ

URL | https://www.roblox.com/games/8494297421/Bow-Wars

高評価 ▶ 69%　訪問者数 ▶ 1160万

弓と剣を使って相手陣地に置かれた旗を取り合う、中世風フラッグバトルゲーム。

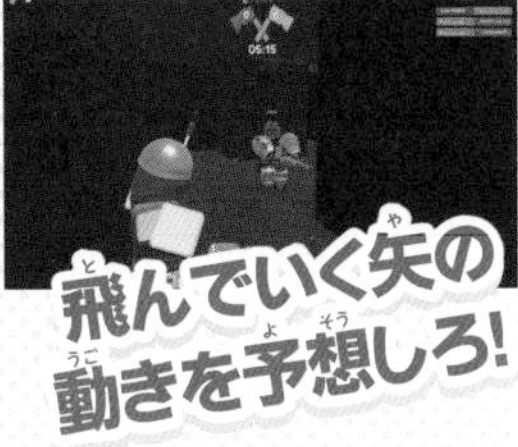

飛んでいく矢の動きを予想しろ!

トンネルを掘って相手陣地に侵入し、敵を倒して旗を奪おう。

マイクを武器に歌声でバトル

Funky Friday

URL | https://www.roblox.com/games/6447798030/XMAS-Event-Funky-Friday

高評価 ▶ 90%　訪問者数 ▶ 15.9億

ミュージックに合わせてボタンを押し、コンボを決める、ラップバトル風リズムゲーム。

リズムに乗ってコンボを決めろ!

コマンドに合わせてキャラがアクションを取ってくれる。まさにラップバトルだ。

特殊効果付きの手でビンタするのだ

スラップバトル

URL | https://www.roblox.com/games/6403373529/UPDATE-Slap-Battles

高評価 ▶ 83%　訪問者数 ▶ 9億

手の形をした武器で相手を張り倒して戦うバトルゲーム。強烈な張り手でぶっ飛ばせ。

引っぱたいたら、何が起こるかな?

手は種類ごとに違う機能を持っている。ポイントが貯まったら買ってみよう。

ゾンビだらけの街を生き延びられるか?

ゾンビの暴動

URL | https://www.roblox.com/games/4972091010/NEW-Zombie-Uprising

高評価 ▶ 95%　訪問者数 ▶ 7.3億

あふれ出てくるゾンビの集団を倒してラウンドを生き延びるゾンビサバイバルゲーム。

仲間と共にゾンビを撃て

武器の種類がとても豊富。ロケットランチャーや重機関銃も使ってゾンビを倒せ!

ハードでリアルな戦場を戦い抜け

最前線

URL | https://www.roblox.com/games/5938036553/FRONTLINES

高評価 ▶ 88%　訪問者数 ▶ 2500万

本物のFPSゲームと見まがうほどの、リアル志向な本格派シューティングゲーム。

作りこみがすごすぎる!

武器のグラフィックが非常にリアル。細かいカスタムができる所も本格的だ。

30以上のキャラで大乱闘に参戦しよう!

遭遇×戦闘

URL | https://www.roblox.com/games/7499189111/NEW-SKIN-Encounters-Fighting

高評価 ▶ 86%　訪問者数 ▶ 2億

『スマッシュブラザーズ』のシステムを再現した、何でもありバトルロワイヤルゲーム。相手を場外にぶっ飛ばせ!

プレイ可能キャラ追加を継続中

『ゴジラ』から『チェンソーマン』、『ジェイソン』まで、なんでもプレイできるぞ。

音速ハリネズミのスピードで大爆走!

ソニックスピードシミュレーター

URL | https://www.roblox.com/games/9049840490/MEGA-SALE-Sonic-Speed-Simulator

高評価 ▶ 93%　訪問者数 ▶ 7.2億

『ソニック・ザ・ヘッジホッグ』の世界で、ソニックのように高速で駆け抜けていくアクションゲーム。

ループもパイプも駆け抜けろ!

最初はスピードが遅いが、レベルアップすると走る速度が上がっていくのだ。

"最強"なアイツらになって必殺技を繰り出せ!

アニメ寸法シミュレーター

URL | https://www.roblox.com/games/6938803436/HUNDRED-Anime-Dimensions-Simulator

高評価 ▶ 97%　訪問者数 ▶ 8.7億

さまざまな漫画、アニメに登場したキャラたちでバトルを繰り広げるオールスターなアクションゲーム。

全キャラクターを試しにプレイできる。派手な必殺技を試しまくろう。

ABA

URL | https://www.roblox.com/games/1458767429/ABA-ENRICO-AY-VEGETA

アニメキャラとなって乱戦を繰り広げるゲーム。好きなキャラでバトルをしよう。

相手を倒してレベルを上げると、新しいキャラを使用できるようになっていく。

最強のアニメ スクワッド シミュレーター

URL | https://www.roblox.com/games/11250063361/EASTER-Strongest-Anime-Squad-Simulator

アニメキャラたちを仲間に加えていって、自分だけの最強チームを結成しよう。

戦闘は仲間にしたキャラたちに任せる。まだ仲間にしていないキャラを倒そう。

『鬼滅』の世界で技を磨け!

デモンソウル

URL | https://www.roblox.com/games/8069117419/Demon-Soul-Simulator

高評価 ▶ 93%　訪問者数 ▶ 1.4億

『鬼滅の刃』の世界を再現したアクションRPG。鬼滅隊の隊士か鬼を選び、敵を倒して強化していこう。

キャラによって異なる呼吸の型や血鬼術を使って戦闘ができる。

デーモン落下

URL | https://www.roblox.com/games/4855457388/Demonfall-4-0

『鬼滅の刃』の鬼としてプレイするアクション。戦い、食って自分を強化していくのだ。

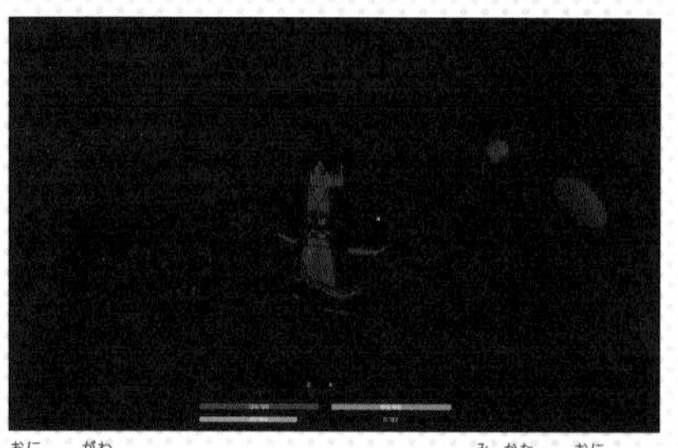

鬼の側からプレイするので、味方は鬼だ。鬼殺隊の隊士たちである人間と戦うぞ。

スレイヤー・タイクーン

URL | https://www.roblox.com/games/6490016198/Slayer-Tycoon-v1-5

『鬼滅の刃』で、強化と育成に重点を置いたアクションRPG。タイクーン要素があるぞ。

対人プレイもできる。刀と武術の応酬が繰り広げられるのだ。

『鬼滅』キャラの技を使って大乱闘!

ならず者デーモン

URL | https://www.roblox.com/games/9103898828/Rogue-Demon

高評価 ▶ 80%　訪問者数 ▶ 1.4億

『鬼滅の刃』の世界のキャラたちの技を使って、ほかのプレイヤーと戦いを繰り広げるバトルロワイヤルゲーム。

最初にどのキャラの呼吸や血鬼術を使用するかを決定し、戦場に向かうのだ。

スレイヤーが脱出

URL | https://www.roblox.com/games/6536647319/THUNDER-CODES-Slayers-Unleashed-PRE-REVAMP

『鬼滅の刃』の世界をモチーフにしたアクション。何もない状態から最強の隊士を目指せ!

ゲームを進めると、技や武器以外に、服やスキンなども手に入るようになる。

デーモンスレイヤーRPG2

URL | https://www.roblox.com/games/4734949248/CODES-Demon-Slayer-RPG-2

『鬼滅の刃』の世界に入ってプレイする、ストーリー型のアクションRPG。

炭治郎たちに会って、ミッションをこなしてストーリーを進めていこう。

呪術師になって『呪術廻戦』のキャラたちと任務をこなそう

カイゼン

URL | https://www.roblox.com/games/7525610732/BLOOD-Kaizen

高評価 ▶ 86%　訪問者数 ▶ 772万

『呪術廻戦』をテーマにしたアクションRPG。ミッションをこなすシングルプレイヤー、協力、対戦でプレイできる。

呪霊を祓って強くなれ！

術式は11種類、戦闘スタイルは3種類、武器は12種類以上。これからも追加予定だ。

ジュジュツタイクーン

URL | https://www.roblox.com/games/8739839954/MEGA-Jujutsu-Tycoon

『呪術廻戦』モチーフのアクション。1回のプレイ時間が短くリプレイ性が高いゲームだ。

3～6分ごとに五条悟がボスとして襲撃してくる。生き残ることができるか？

ジュジュツクロニクル

URL | https://www.roblox.com/games/11200494415/TEST-PHASE-2-Jujutsu-Chronicles

『呪術廻戦』のバトル主体のゲーム。対人戦が重要で、コンボ技も出せるぞ。

3時間ごとに宿儺の指がスポーンする。食べて力を手に入れよう。

『黄金の旋風』の世界で歴代キャラが勢ぞろい

あなたの奇妙な冒険

URL | https://www.roblox.com/games/2809202155/Your-Bizarre-Adventure

高評価 ▶ 90%　訪問者数 ▶ 16.4億

『ジョジョの奇妙な冒険』第5部の世界で、さまざまな依頼をこなしていくストーリー型アクションRPG。

レベルを上げるとスタンドが手に入る。第7部のものも登場するぞ。

スタンドの世界

URL | https://www.roblox.com/games/6728870912/World-of-Stands

『ジョジョの奇妙な冒険』を題材にしたオープンワールドアドベンチャー＆対戦ゲーム。

「矢」を使ってスタンドを手に入れよう。あの強力なスタンドが手に入るかも？

ジョジョ:タイムストップバトルグラウンド

URL | https://www.roblox.com/games/5736881589/5-MILLION-JoJo-Timestop-Battlegrounds

『ジョジョの奇妙な冒険』第3部のラストバトルを題材にした、時間停止バトル。

時間停止能力に相手を巻き込んで、大量ナイフ投げで仕留めるのが攻撃パターンだ。

個性を磨き上げてヒーローを目指せ!

マイヒーローマニア

URL | https://www.roblox.com/games/4934471106/CODE-My-Hero-Mania

高評価 ▶ 95%　訪問者数 ▶ 1.9億

『僕のヒーローアカデミア』の世界を再現したアクションRPG。個性を磨いて一流のヒーローやヴィランを目指そう。

オールマイトの力も手に入る？

個性は執筆時点で20種類あるが、さらにアップデートで追加される予定とのこと。

ヒーローズオンライン:レガシーエディション

URL | https://www.roblox.com/games/1992612043/Heroes-Online-Legacy-Edition

『ヒロアカ』のオープンワールドRPG。ヒーローでもヴィランでもプレイできる。

ヒーローや敵のボスと戦って倒すと、相棒として使用することができるようになる。

プロジェクトヒーロー

URL | https://www.roblox.com/games/6085581583/Project-Hero

『ヒロアカ』の世界で、ヒーローやヴィランとなってプレイするアクションRPG。

強力な脳無が敵として街中に現れることもある。自分を強化してから挑もう。

悪魔の実の力を使ってバトルしよう!

フルーツバトルグラウンド

URL | https://www.roblox.com/games/9224601490/LIGHTNING-2X-LUCK-Fruit-Battlegrounds

高評価 ▶ 90%　訪問者数 ▶ 9570万

『ONE PIECE』の悪魔の実の力を使ってほかのプレイヤーと戦う対戦型アクション。強化すると使える技が増えるぞ。

ロギアの力も使い放題だ!

入手した悪魔の実はストックして切り替えが可能。4つまで持っておけるぞ。

Blox Fruits

URL | https://www.roblox.com/games/2753915549/Blox-Fruits

訪問者160億以上の超人気『ONE PIECE』アクションRPG。悪魔の実と剣術で戦おう。

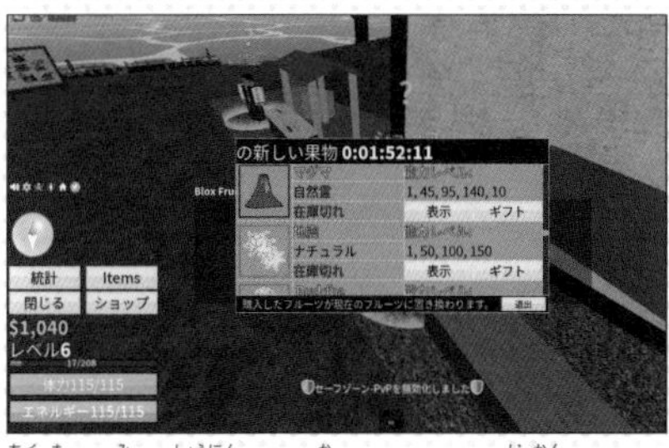

悪魔の実は商人から買うほか、1時間ごとにマップに出現する。

ライトアウェニング

URL | https://www.roblox.com/games/9144187696/GEAR-4-SNAKEMAN-V2-STARTER-REVAMP-A-Piece

『ONE PIECE』の世界がモチーフだが、それ以外の『ジャンプ』のキャラにも出会える。

手に入れた悪魔の実を人にあげることもできる。親切な人からもらえるかも?

キングレガシー

URL | https://www.roblox.com/games/4520749081/King-Legacy

『ONE PIECE』の悪魔の実を主題にしたアクションRPG。38種類の実があるぞ。

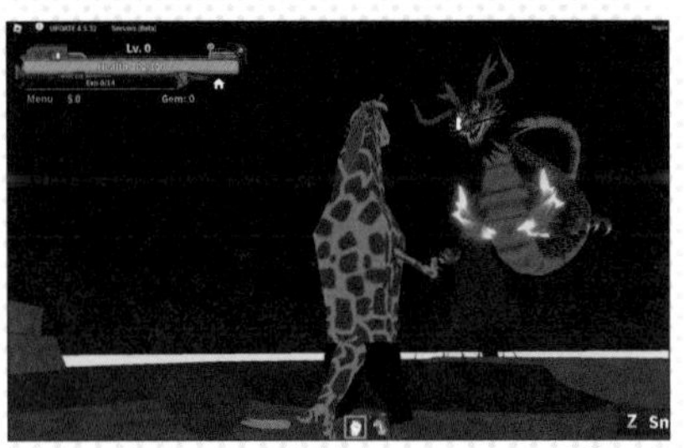

悪魔の実は1～2時間おきにマップ上に出現する。カイドウの「ウオウオの実」もある。

ONE FRUIT

URL | https://www.roblox.com/games/11445923563/SEA-2-ONE-FRUIT

『ONE PIECE』の世界をモチーフにしたオープンワールドのRPGゲーム。

悪魔の実は自然系の物が多い。悪魔の実だけでなく、素手や剣の技もあるぞ。

ここでは忍術を使えるのが当たり前!

シノビライフ2

URL | https://www.roblox.com/games/4616652839/Shinobi-Life-2

高評価 ▶ 93%　訪問者数 ▶ 21.5億

『NARUTO』をモチーフにしたニンジャの世界が舞台のアクションRPG。忍術を強化して敵やボスと戦おう。

強力な術が最初から使えるほかに、壁や水面を歩く技も標準装備されている。

『NARUTO』

究極の忍びファイティングアリーナ

URL | https://www.roblox.com/games/125188005/Naruto-Ultimate-Shinobi-Fighting-Arena

高評価 ▶ 70%　訪問者数 ▶ 1460万

『NARUTO』と『BORUTO』に登場する歴代のキャラクターたちで、ほかのプレイヤーとバトルができるゲーム。

第2部のナルトなら、螺旋手裏剣、影分身、六道仙人モードなどが使えるのだ。

東京サガ

URL | https://www.roblox.com/games/7285447838/Tokyo-Saga-Patch-Upd

『東京リベンジャーズ』の世界で最強の不良を目指して成り上がるアクションRPG。

資金を貯めてバイクや服を買うこともできる。自分のスタイルを確立しよう。

復讐者のオンライン

URL | https://www.roblox.com/games/10822399154/1v1-Pads-Revengers-Online-Combat-Test

『東京リベンジャーズ』の世界でストリートファイトを繰り広げる対戦ゲーム。

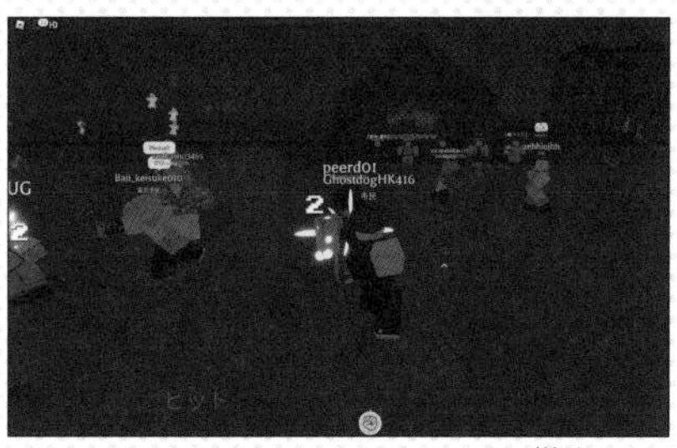

ストーリーではなく、プレイヤー同士のバトルが主題のゲームだ。

君が選ぶ道は死神か虚か

PM

URL | https://www.roblox.com/games/9447079542/PM-EASTER

高評価 ▶ 90%　訪問者数 ▶ 2330万

『ブリーチ』の世界を題材にしたアクションRPG。死神か虚になって、さまざまなミッションをこなして強くなろう。

最初に死神か虚になるミッションをクリアすることでストーリーが始まるのだ。

ドラゴンブロックス

URL | https://www.roblox.com/games/3177438863/LUCK-POWER-Dragon-Blox

『ドラゴンボール』のサイヤ人となり、原作の世界を再現したフィールドを飛び回れ。

空中移動、気功弾、スーパーサイヤ人化など、原作にあったムーブは一通りできるぞ。

ドラゴンボールの怒り

URL | https://www.roblox.com/games/71315343/Dragon-Ball-Rage

『ドラゴンボール』のキャラの力を手に入れられるゲーム。空を飛び、気を放って戦おう。

自分のキャラの姿そのままで、気を溜めたり空を飛びまわったりできる。

最強のバトルグラウンド

URL https://www.roblox.com/games/10449761463/The-Strongest-Battlegrounds

『ワンパンマン』のキャラたちの技でプレイヤー同士でバトルする、バトルロワイヤル。

サイタマのパンチ、ガロウの岩砕流水拳、ジェノスの焼却砲などが使えるぞ。

最強のパンチシミュレータ

URL https://www.roblox.com/games/6875469709/STRONGEST-PUNCH-SIMULATOR

『ワンパンマン』の主人公サイタマが繰り出す究極のパンチを再現するシミュレーター。

壁を殴って穴を掘ることでパンチ力を鍛える。極めれば一発で壁が消し飛ぶぞ。

ワンパンチファイターズシミュレーター

URL https://www.roblox.com/games/10524502174/25x-One-Punch-Fighters-Simulator

『ワンパンマン』の世界で怪人と戦う、クラシックなストーリーアクションRPG。

怪人以外にヒーローとも戦うことができる。禿げるぐらい鍛えて強くなろう。

Chainsaw Man : Devil's Heart

URL https://www.roblox.com/games/11345435986/Chainsaw-Man-Devils-Heart-SKELETON-BOSS

『チェンソーマン』の公安職員になって悪魔や魔人と戦う。続編も発表されているぞ。

強化して刀や悪魔の力を手に入れよう。悪魔と一体化した武器人間にもなれるのだ。

ニンジャレジェンド

URL https://www.roblox.com/games/3956818381/Ninja-Legends

ニンジャになって自分を強化していくアクション。忍術を習得してさらに強くなろう。

最初の武器は何と竹竿。巨大ボスにはもっといい武器を買って挑もう。

ニンジャレジェンド2

URL https://www.roblox.com/games/5977280685/Ninja-Legends-2#!/store

『ニンジャレジェンド』の続編。忍術や行けるフィールドなどの種類が増えているぞ。

フィールドは前作の和風の見た目から、サイバーパンク風の見た目になったぞ。

忍者スターシミュレータ

URL https://www.roblox.com/games/8381567809/UPD6-2-Ninja-Star-Simulator

忍者の星こと手裏剣を主に使うアクション。手裏剣を強化してプレイするのが特徴だ。

強化によって一度に使用できる手裏剣の数が増えていく。形も変化していくぞ。

カタナ・シミュレーター

URL https://www.roblox.com/games/2232225661/Katana-Simulator

刀を強化してプレイヤーと対戦するアクション。コインを集めてより良い刀を買おう。

対戦が可能なエリアに行くと、プレイヤーへの攻撃が可能になる。油断は禁物だ。

宝探しシミュレータ

URL https://www.roblox.com/games/1345139196/Treasure-Hunt-Simulator

地面を掘りまくって埋まっているお宝を見つけるトレジャーハンティングゲーム。

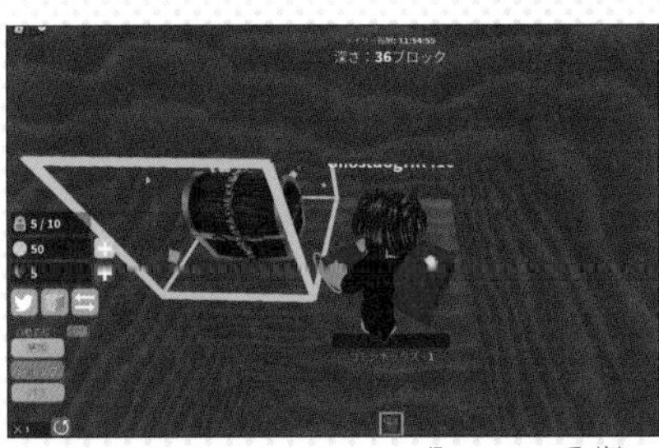

シャベルやバックパック、掘るのを手助けしてくれるペットを強化できる。

マイニングシミュレーター

URL https://www.roblox.com/games/1417427737/Mining-Simulator

『マインクラフト』の採掘要素にフォーカスしたような、資源採掘ゲーム。

地下深くには宝箱が置かれた空間がある。鉱石以外に化石も掘って売れるのだ。

掘ってパパを見つけよう

URL https://www.roblox.com/games/12001051622/Dig-to-find-dad

10年前に行方不明になったお父さんを探すため、ひたすらに地面を掘っていくゲーム。

地面を掘るためには爆弾を使う。強化することでミサイルなども使えるようになる。

Dig to China

URL https://www.roblox.com/games/8506369721/Dig-to-China

アメリカから中国まで繋がったトンネルを掘るべく、爆弾での穴掘りに挑戦するゲーム。

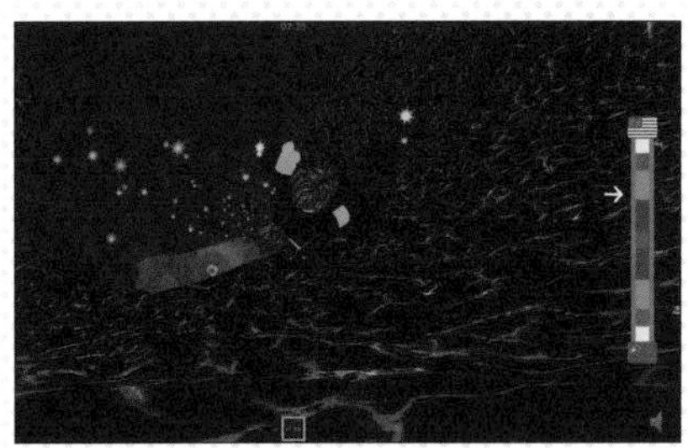

深く掘るにつれて周囲の光景がどんどん変わっていく。最深部の見た目とは？

ハイヒールレース

URL https://www.roblox.com/games/10763441870/High-Heels-Race

対戦型レースゲーム。同じ色の靴を集めて靴をどんどん高くして、次のエリアに進むのだ。

次のエリアに繋がる橋を渡ると、靴が低くなっていく。なるべく靴を高くして渡ろう。

ホールインザウォール

URL https://www.roblox.com/games/11970456/Hole-in-the-Wall

迫ってくる壁にくり抜かれた穴をくぐりぬけるゲーム。ポーズを変えて穴を通るのだ。

プレイエリアの横に並んで出番を待とう。チーム分けなどは自動で行われる。

3-2-1爆発シミュレータ

URL https://www.roblox.com/games/5256165620/3-2-1-Blast-Off-Simulator

燃料を集めてロケットに注入し、どれだけ高く飛べるかを競うロケット発射ゲーム。

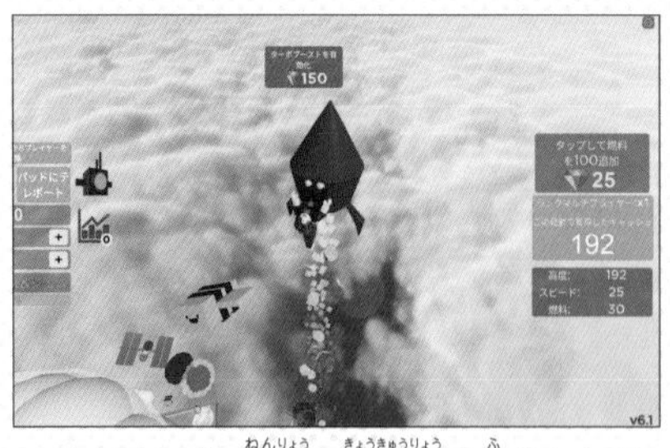

レベルアップで燃料の供給量を増やしたり、ロケットを大きくしたりできる。

Race Clicker

URL https://www.roblox.com/games/9285238704/X2-Race-Clicker

「Max Speed」と同じタイプのレースゲームだが、こちらは徒競走のスピード勝負。

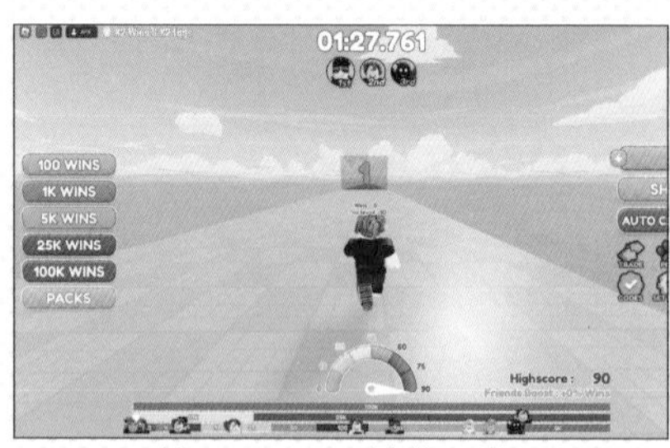

スタート前にクリック連打で力を溜めて、制限時間内になるべく遠くへ走ろう。

バルクアップ

URL https://www.roblox.com/games/6847090259/Bulked-Up-EGG-HUNT

ムキムキマッチョマンになって、家を壊しまくって自分を鍛えていくゲーム。

直接壊す以外に、物を投げることもできる。手榴弾なども使えるぞ。

YEET レジェンズ

URL https://www.roblox.com/games/7105775253/YEET-Legends

棒を使ったジャンプの距離を強化し、離れた島へと飛び移っていくゲーム。

ジャンプ距離を強化するために、持っている棒でヌーブ君をぶっ飛ばしまくろう。

友よ、イエット!

URL https://www.roblox.com/games/11708967881/X2-Yeet-A-Friend

フレンドになっているプレイヤーをぶん投げて飛距離を競うゲーム。友達を放り投げろ！

1人でプレイするときは、自分自身を放り投げる。やりこむと飛距離も上がるぞ。

おならレース

URL https://www.roblox.com/games/11763462079/Fart-Race-Poop-Upgrade

便器に座ってウンチを集め、おならで吹っ飛んで飛距離を競うトンデモ競技ゲーム。

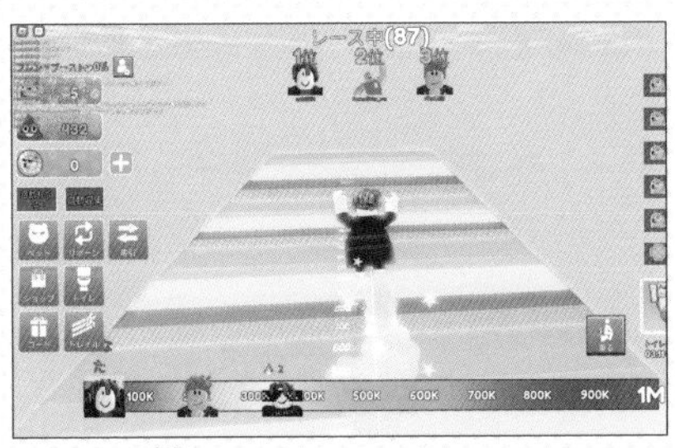

ウンチを集めてガスをぱんぱんにしてから挑戦しよう。

Squid Game Doll ARMY Red/Green Light Killer!

URL https://www.roblox.com/games/9467892879/Squid-Game-Doll-ARMY-Red-Green-Light-Killer

ドラマ『イカゲーム』のミニゲームを次々プレイできる、連続ゲームマップ。

1人でもミニゲームをプレイして次に進める、ゲームプレイを重視した設定だ。

床は溶岩です!

URL https://www.roblox.com/games/815405518/The-Floor-Is-LAVA

下からせり上がってくる溶岩を避けて、上に移動して生き残るサバイバルゲーム。

ステージは毎回異なる。溶岩はかなり上に来るので、とにかく高いところに逃げよう。

クリーニングシミュレーター

URL https://www.roblox.com/games/818287233/Cleaning-Simulator

タコのような見た目の生物になって、散らかって汚れた街をきれいにするお掃除ゲーム。

汚れの種類ごとに違う清掃道具を使ったり、散らかった物を片付けたりするのだ。

骨を折るラグドール!

URL https://www.roblox.com/games/4898339524/Ragdoll-to-break-bones

高いところから飛び降りて骨折したか所でポイントを取る、ブロークンボーン系ゲーム。

動く装置や爆薬、地雷など、落ちるだけにとどまらない骨折ギミックも充実。

船を破壊!

URL https://www.roblox.com/games/6873104649/Destroy-The-Ship

沖に浮かぶ船を、あらゆる武器兵器を使って粉砕する破壊系シミュレーションシューター。

ミサイルや攻撃ヘリ、銃付き小型ボートなど、強力な兵器が自由に使えるぞ。

トーマスと友達だけど、何かが違う

URL https://www.roblox.com/games/9288935643/Thomas-And-Friends-but-something-isnt-right

『きかんしゃトーマス』のようでいて、何か間違っている機関車に乗って旅をしよう。

機関車は自由にスポーンさせて乗ったり消したりできる。どれに乗ってみる?

cart ride around nothing

URL https://www.roblox.com/games/10660791703/cart-ride-around-nothing

空中に作られた長い複雑なレールの上を、エンジン付きカートで旅するゲーム。

カートは後部のエンジンを起動してから動かす。運転席のボタンで操作しよう。

Cart + Car Ride into GigaNoob

URL https://www.roblox.com/games/5275822877/Cart-Car-Ride-into-GigaNoob

とても長いレールと道路を、終点の巨大ヌーブ君目掛けて進んでいくゲーム。

カートで走るレールだけでなく、車で走る道路もある。ミスればどちらもアウトだ。

体を集める

URL https://www.roblox.com/games/9731376817/Collect-The-Body

体がバラバラの頭だけの状態になり、散らばった体のパーツを集めていくゲーム。

ほかのプレイヤーのパーツも付けられる。普通はできないちぐはぐな見た目になるぞ。

Noob Train

URL https://www.roblox.com/games/4655652068/Noob-Train-Alpha

大量のヌーブ君を召喚して、引き連れて遊べるゲーム。数や大きさが指定できるぞ。

自分の体の大きさや動きの速さを設定して、それを召喚するヌーブ君にも反映できる。

レジェンズ・オブ・スピード

URL https://www.roblox.com/games/3101667897/Legends-Of-Speed

走り回ってレベルを上げ、ロブロックス最速を目指すスピードアクションゲーム。

1分間隔でミニレースが開催される。レベルを上げると違うステージにも行けるぞ。

毎秒速度+1

URL https://www.roblox.com/games/11298615665/1-Speed-Every-Second

1秒ごとに移動速度が上昇していくゲーム。加速してミニゲームをクリアしていこう。

端から消えていく床を走り抜けるゲームや、転がってくる球を避けるゲームがある。

+1ジャンプして おばあちゃんを天国から救う

URL https://www.roblox.com/games/11596351002/1-jump-to-save-grandma-from-heaven

毎秒強化されるジャンプ力で、ステージをひたすらに登っていくアクションゲーム。

クッキーを取るとジャンプ力がプラスされる。制限時間内にどこまで登れるか挑戦。

Robloxですが、毎秒短くなります

URL https://www.roblox.com/games/11480221788/Roblox-but-every-second-you-get-shorter

1秒ごとに背がどんどん低くなっていくゲーム。低くなって狭いすき間を通り抜けよう。

さらに低くなると、頭だけが床から生えたような見た目になるのだ。

毎秒あなたの首が成長する

URL https://www.roblox.com/games/11636534838/Every-Second-Your-Neck-Grows

1秒ごとに首がどんどん長くなっていくゲーム。超長くなった首で背比べしよう。

レベルが高くなると、下からでは頭が見えないほど首が長くなる。

+1 Strength per second

URL https://www.roblox.com/games/11557185010/1-Strength-per-second

1秒ごとに強化される力で、壁をどんどん破壊して進んでいくゲーム。

壁を破壊するハンマーや、破壊を補佐してくれる剣なども強化できるぞ。

+1 Weight Every Second!

URL https://www.roblox.com/games/11959312860/UPD-1-Weight-Every-Sec

時間ごとに体重がどんどん重くなるゲーム。下に飛び降りて、体重で床をぶち抜くのだ。

プレイヤーの体は針金のようだが、体重だけはとんでもなく重くなっていく。

毎秒+1脂肪を獲得

URL https://www.roblox.com/games/12114397300/Every-Second-You-Get-1-Fat

どんどん太っていくゲーム。食べ物を食べてさらに太り、ミニゲームを突破しよう。

ミニゲームでは脂肪が減っていく。事前に可能な限り太ってから挑戦しよう。

毎秒+1熱

URL https://www.roblox.com/games/12365231415/1-Heat-Every-Second

1秒ごとに熱が上がっていくゲーム。その熱量で氷の壁を溶かしてトンネルを作ろう。

加熱が進むと、走るだけでどんどんトンネルが作れるようになっていく。

Mob Punch Simulator

URL https://www.roblox.com/games/12405536423/Mob-Punch-Simulator

ヌーブ君やゾンビと殴り合って、パンチを強化していく。最強パンチャーを目指せ

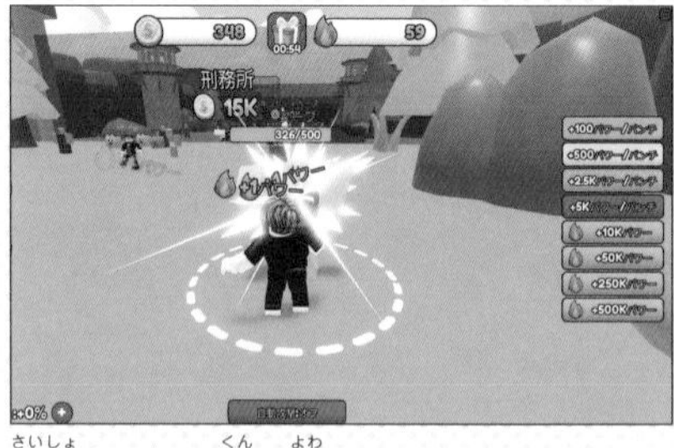

最初のヌーブ君は弱いが、あとのステージになると敵はどんどんタフになっていく。

第3章

オビー・脱出ゲーム編

ランダムに生成されるアスレチックタワーを攻略せよ!

地獄の塔

URL | https://www.roblox.com/games/1962086868/Tower-of-Hell

高評価 ▶ 75%　訪問者数 ▶ 20.5億

高い塔の中に作られる足場を、ひたすらに登っていくオビー。塔は高い上に足場から落ちずに渡っていくのは、かなり難しい。落ちずに頂上まで行ければ英雄だ。

時間経過で塔の構造は変化する。ゆっくりはしていられないぞ。

激ムズタワーをクリアできるか？

こんな動画で紹介されたよ!

▶ てきと

【ロブロックス】毎回「むずかしさ」が変わるアスレチックマップが鬼畜すぎた！『TOWER OF HELL』というマップをプレイ！【ROBLOX】

1 足場を伝ってひたすらに上を目指そう

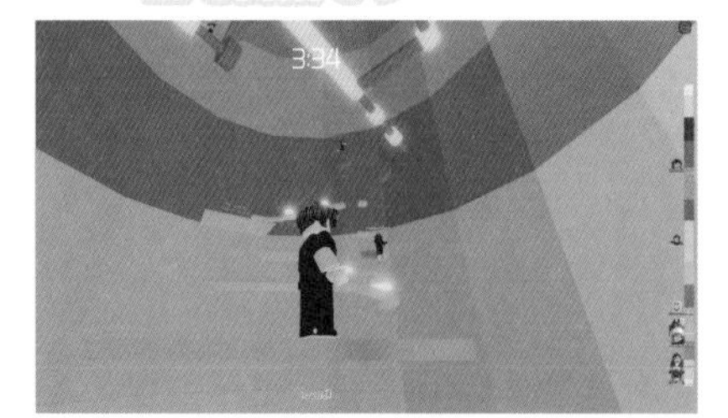

どれだけ高く登っても、落ちれば最初からやり直しになってしまうぞ。

2 光っている部分に触れると即座にアウト!

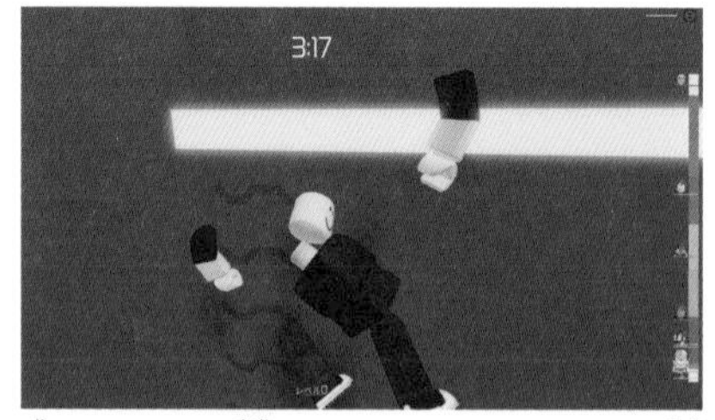

落ちればやり直しになるのはもちろん、光っている部分に触れれば即死してしまう。

可愛いミニオンがいるコースを走るオービー

ミニオンズを脱出せよ!!アドベンチャーオービー

URL | https://www.roblox.com/games/8667184082/ESCAPE-THE-MINIONS-Adventure-Obby

高評価 ▶ 76%　訪問者数 ▶ 340万

映画『ミニオンズ』に出てくるミニオンたちが、反乱を起こした謎の施設を舞台にしたオービー。走るだけでなく、ドロッパーやレーザー避けのステージもあるのだ。

コースの各所でミニオンがブーイングしている。可愛いが当たるとアウトになるぞ。

ブーブー!
バッドボス!

こんな動画で紹介されたよ!

▶ KahoSei Channel from Canada

ぶ～!ぶ～! ミニオン オービー(アスレ)に挑戦!ゲーム実況 ROBLOX ESCAPE THE MINIONS!! Adventure Obby

1 ボスのグルーにミニオンが抗議している?

スタート地点では何故かミニオンがグルー相手にデモをしている。原因を探そう。

2 コースをハイスピードで突っ走ろう

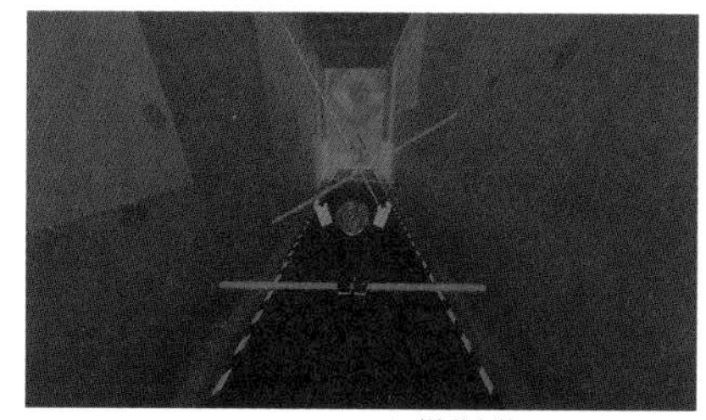

オビーはプレイヤーの移動速度とジャンプ性能が高いハイスピードタイプのコースだ。

いろいろなシチュエーションの脱出に挑戦しよう

閉じ込められた

URL | https://www.roblox.com/games/7510349624/Trapped-Chapter-3

高評価 ▶ 79%　訪問者数 ▶ 1310万

題名の通り、いろいろな「閉じ込められた」シチュエーションから脱出を目指すゲーム。メインハブからどのゲームに挑戦するか決められるぞ。協力プレイも可能だ。

代表的な「監獄から脱出」のステージ。まずは壁のパズルを解いて独房の外に出よう。

どの脱出に挑戦する？

こんな動画で紹介されたよ！

▶ ちろぴの

脱獄不可能な刑務所に捕まったロブロックス【ROBLOX / ロブロックス

1 パズルや必要な物の捜索などの要素があるぞ

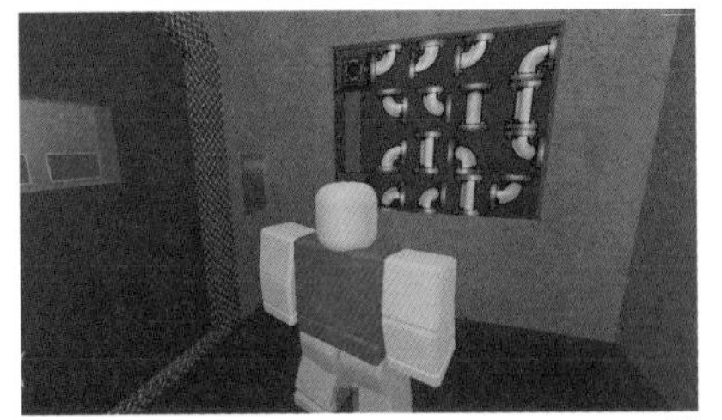

研究所から脱出するステージ。パネルの中のパイプをつなぎ合わせるパズルだ。

2 強い敵と戦うシーンも出てくる

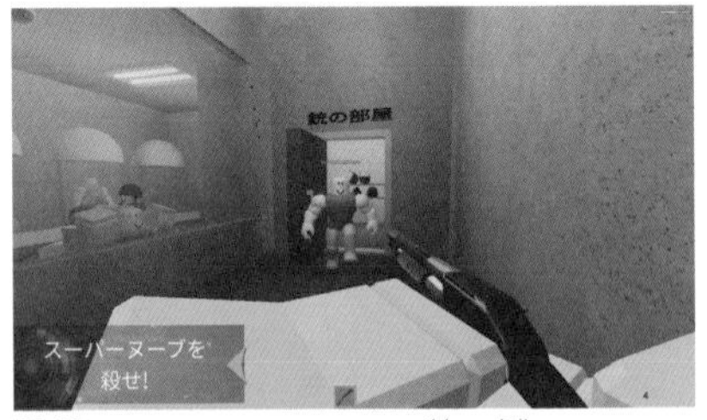

暴走したスーパーヌーブ君を倒さないと、ここから逃げられない！

追いかけてくる奴らから何としても逃げろ！

Evade

URL | https://www.roblox.com/games/9872472334/Evade

高評価 ▶ 94%　訪問者数 ▶ 19.4億

シンプルに「逃げる」ことに特化したゲーム。さまざまなステージで、追いかけてくるいろいろな敵から逃げ続け、制限時間まで耐えしのぐのだ。

変な顔が何種類も出現する。視界に入ればすぐに追いかけてくるぞ。何とかして振り切れ。

逃げろ！隠れろ！協力しろ!!

こんな動画で紹介されたよ！

▶ いぬまる

【Evade】どんだけ種類おんねんwそして追いかけてくるなぁぁぁぁ（roblox ロブロックス）

1 逃げる以外に隠れるのも重要だ

ステージには隠れ場所や迂回路などもあるので、追手の裏をかいて隠れてもいい。

2 敵は追いかけてくるとは限らない

ステージによっては銃で撃ってくる敵が出現することもある。下手に走ると危険だ。

アルファベットの形をした怖いヤツ

アックスロア

URL | https://www.roblox.com/games/11093884242/NEW-ABC-Lore

高評価 ▶ 71%　訪問者数 ▶ 1920万

アルファベットの形をした怪物がうろつく学校のなかで、様々なミッションをこなして脱出を図るゲーム。ステージが進むごとに、習性が異なる怪物が出現するぞ。

2つ目のミッションに出現する「B」の怪物。襲われたら即座にアウトだ。

この怪物はどこから来た？

こんな動画で紹介されたよ!

▶ マエスケ

アルファベットの怪物がいる学校から逃げ出すロブロックス (Roblox)

1 発電機をうごかしたり物を集めたりする

最初のミッションは、停電を直すためにあちこちの発電機を起動することだ。

2 怪物はどこからともなく現れてくる

最初のミッションに出てくる「A」の怪物。動きは遅いが気を付けないといけない。

有名インディーゲームを完全再現

バンバンの庭

URL | https://www.roblox.com/games/12398038681/Garten-of-Banban

高評価 ▶ 90%　　訪問者数 ▶ 8140万

ゲーム「ガーデン・オブ・バンバン」をロブロックスで完全再現した作品。原作の制作元から許可を受けて作られており、再現度が完璧なほど高いゲームになっている。

舞台となるのは子供が消えてしまった幼稚園。怪物のキャラクターたちが不気味だ。

怪物はお友達じゃないぞ!

こんな動画で紹介されたよ!

▶ りりちよ

4人で遊べる『偽物』ガーテンオブバンバンって面白いの?【ロブロックス/ROBLOX】

1 原作のいろいろな要素を完全再現

ボタンを押すための便利なドローン。あちこちで使うことになるガジェットだ。

2 パズルやギミックを解いて道を切り拓け

怪物たちの色の通りにランプの光を合わせるパズル。どんな色だったっけ?

気分はゾンビパニック映画の登場人物

フィールドトリップZ

URL | https://www.roblox.com/games/4954096313/Field-Trip-Z

高評価 ▶ 77%　訪問者数 ▶ 7.9億

ゾンビ映画風のストーリー仕立てゲーム。学校に行ったと思ったら、町でゾンビが発生! 窓を塞いだり、脱出して警察署に行ったりと、状況が目まぐるしく変化するぞ。

学校にゾンビ化した用務員が襲来。戦うか、それとも隠れるか選ぼう。

こんなときは君ならどうする?

こんな動画で紹介されたよ!

▶ まいぜんシスターズ

学校にゾンビが出現した結果！？

1 場面に応じて選択肢が提示される

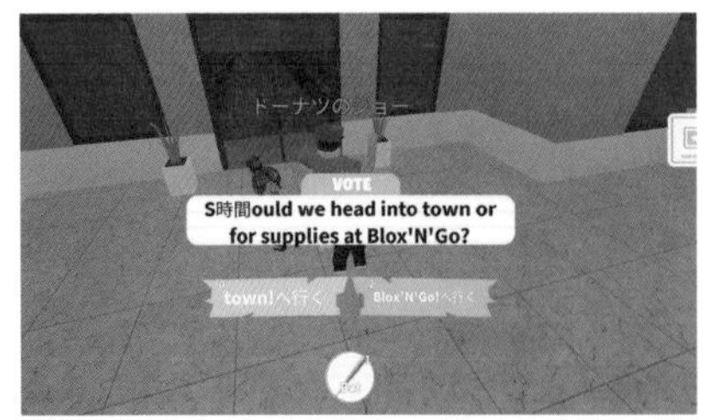

選択肢は多数決や実際の行動で選ぶ。もしも自分ならどうするかを考えると面白いぞ。

2 選んだ結果がいいとは限らない

一緒に逃げていた警官がゾンビに! 生き延びるためにバットで戦うのだ。

怪物が先生のクラスから脱出しろ

ミスター・ナイトメアーズ・スクール スケアリー・オビー

URL | https://www.roblox.com/games/10675175616/Mr-NIGHTMARES-SCHOOL-SCARY-OBBY

高評価 ▶ 56%　訪問者数 ▶ 5380万

錆びた金属でできた怪物、ナイトメア先生のいる学校から脱出を目指すホラーテイストなゲーム。怪物からの逃走に加え、アスレチックを突破していくオビー要素がある。

ダクトの中に逃げて一安心とおもったら、その先は配管だらけ。落ちたらアウトになるぞ。

この学校からは簡単に出られない

こんな動画で紹介されたよ!

▶ マエスケ

ナイトメア先生を怒らせたら襲われたロブロックス (Roblox)

1 教室から出るといきなり追いかけられる

いきなりナイトメア先生の襲撃が! 彼以外にもいろいろなモンスターが出てくる。

2 アスレチック以外にパズル要素もあるぞ

荷物を並べて足場を作る。乗せ方にひと工夫必要なときもあるぞ。

超長い連続オビーのゴールを目指せ

楽しいオビー 500ステージ

URL | https://www.roblox.com/games/11364184405/Super-Fun-Obby-500-Stages

高評価 ▶ 75%　訪問者数 ▶ 4840万

500もの小さなオビーのコースが一つながりになった超大ボリュームオビーゲーム。100%攻略できるか挑戦だ。

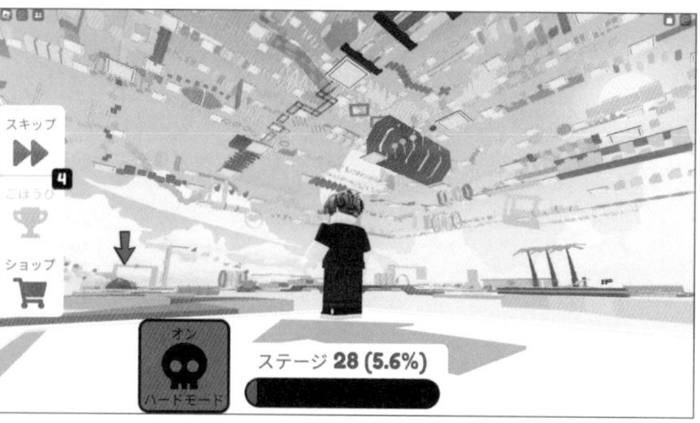

上に広がるオビーの雲！

ステージ同士はシームレスにつながっている。落ちてもすぐ手前から再開できる。

残機制限がある手厳しい仕様

限定死亡難易度ランキングオービー

URL | https://www.roblox.com/games/11634052654/Limited-Deaths-Difficulty-Chart-Obby

高評価 ▶ 33%　訪問者数 ▶ 990万

ゲームオーバー制限がある難度高めのオビー。残機が無くなってしまうとゲームオーバーで、最初からやり直しだ。

落ちてはいけない緊張感がすごい

残機があるとチェックポイントから再開できる。エリアクリアで3つもらえる

時間を操ってブロックの世界を攻略せよ

再接続時間オービー!

URL | https://www.roblox.com/games/5603089268/Rewind-Time-Obby

高評価 ▸ 52%　訪問者数 ▸ 990万

時間を巻き戻して攻略していくオビー。道を開くだけでなく、落ちた場合の復帰にも時間巻き戻しを使うぞ。

うまくいかない？なら戻してみよう

時間操作のほか、釣り竿や爆薬を使って攻略する場面もあるぞ。

怖ろしいダンジョンを攻略して抜け出せ!

城の要塞から脱出せよ!オービー

URL | https://www.roblox.com/games/195845601/Escape-The-Castle-Fortress-Obby-NEW

高評価 ▸ 57%　訪問者数 ▸ 7.4億

城のダンジョンからの脱出というクラシックなスタイルのゲーム。アクション以外にパズル要素もあるのだ。

溶岩の満ちる地下から抜け出せ

先に進む鍵を宝箱から見つける場所や、敵を踏んずけて倒す場所もある。

託児されていたのは恐怖の赤ちゃんでした……

ベビーボビーの託児所から脱出しよう!

URL | https://www.roblox.com/games/12090482034/ESCAPE-BABY-BOBBY-DAYCARE-FIRST-PERSON-OBBY

高評価 ▶ 47%　訪問者数 ▶ 1.2億

凶暴そうな巨大な赤ちゃん「ボビー」が預けられている託児所から脱出を目指すゲーム。

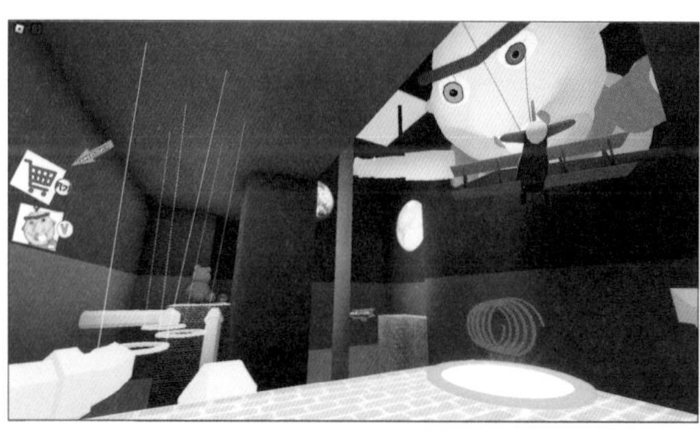

ここはボビーのおもちゃ箱の中？

舞台は託児所だが、アスレチックの難度は高め。上のボビーが気になる。

一つ目怪物の学校から逃げられるか?

スティンキー氏の拘留

URL | https://www.roblox.com/games/11385151632/MR-STINKYS-DETENTION-OBBY

高評価 ▶ 46%　訪問者数 ▶ 1.4億

一つ目の「スティンキー先生」のクラスに居残りをさせられたプレイヤーが、先生から逃げて脱出を目指すゲーム。

図書室の司書も一つ目怪物!

怪物から逃げたりアスレチックに挑んだりする以外に、武器で戦う場面もあるぞ。

速い奴が全てを制する障害物レース

デスラン

URL | https://www.roblox.com/games/206640076/Deathrun

高評価 ▸ 81%　訪問者数 ▸ 3.5億

とてもスタンダードな「障害物競走」。皆で一斉にスタートし、真っ先にゴールすれば勝ちで終了になるぞ。

プレイヤーは剣を持ってスタートする。妨害行為もありなのだ。

虹色の階段をどこまで登れるか勝負!

怒りの階段!

URL | https://www.roblox.com/games/11756661207/Stairs-Of-RAGE

高評価 ▸ 71%　訪問者数 ▸ 5000万

虹色の階段を頂上目掛けて上がるゲーム。一定時間が来るたびに指定された色以外が消える仕掛けになっている。

急いで進むと間に合わずに落ちる危険もある。1ラウンドは8分間だ。

あの悲劇から逃げ延びて語り伝えよう

Robloxタイタニック

URL | https://www.roblox.com/games/294790062/Roblox-Titanic

高評価 ▶ 82%　訪問者数 ▶ 2.2億

豪華客船タイタニック号が沈みゆく瞬間を再現した脱出ステージ。船が沈む前にボートに乗って抜け出そう。

沈みゆく客船からボートへ逃げよう

豪華な船内の様子も再現されている。スタート地点も選べるので探検してみよう。

怖ろしい怪物が連続出現する森で生きていられるか?

サイレンヘッド:ザ・フォレスト

URL | https://www.roblox.com/games/7881326119/Siren-Head-The-Forest

高評価 ▶ 82%　訪問者数 ▶ 1020万

頭がサイレンの『サイレンヘッド』をはじめとした怪物が出現する森で、朝が来るまで生き残るサバイバル。

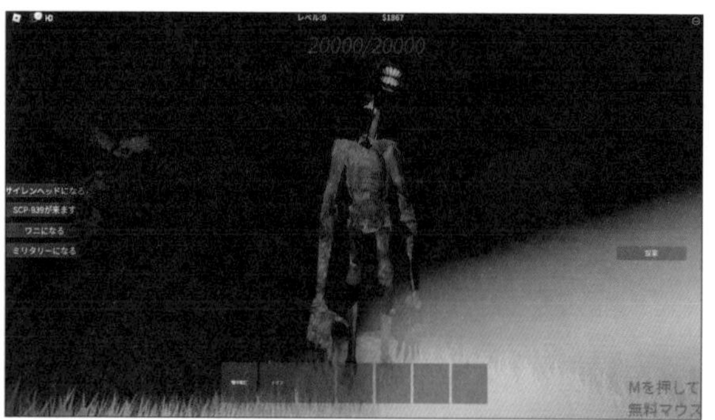

怪物・怪獣・巨人にゾンビの群れまで

武器を使って怪物と戦うこともできるが、倒すのは非常に難しいぞ。

虹色の怪物たちと「遊ぼう」

レインボーフレンド

URL | https://www.roblox.com/games/7991339063/Rainbow-Friends

高評価 ▶ 87%　訪問者数 ▶ 17億

迷い込んだ謎の施設で、カラフルな怪物たちに追われながらミッションをこなしていく脱出ゲーム。

ヤバくなったら段ボール隠れの術

段ボールを装備しており、危険になったらこれを被って身を隠すこともできる。

周囲を囲む超巨大迷路から抜け出せ!

迷路ランナー

URL | https://www.roblox.com/games/182781154/The-Maze-Runner

高評価 ▶ 87%　訪問者数 ▶ 1590万

映画『メイズランナー』の世界を再現した迷路脱出ゲーム。周囲を囲む超巨大迷路を駆け抜けよう。

走り抜けろ闇に捕まるな

夜になるt迷路内を怪物が徘徊するようになる。一旦離脱して戻るのも手だ。

無限に続く謎の空間をうろつくのは何だ？

Apeirophobia

URL | https://www.roblox.com/games/10277607801/Apeirophobia

高評価 ▶ 93%　訪問者数 ▶ 1.9億

正体不明の空間から脱出を目指すゲーム。1人～4人で、レベルにあったステージを選んでプレイできる。

カメラとライトで生き残れるか？

タイトルは「無限恐怖症」の意味。怪物が徘徊する、果ての見えない空間が怖い。

開けても開けても次のドア……

DOORS

URL | https://www.roblox.com/games/6516141723/DOORS

高評価 ▶ 94%　訪問者数 ▶ 31.6億

延々と続く部屋のドアを通って脱出を目指す。鍵を開けるためのパズルや、怪物から隠れる要素もある。

怪物の予兆を聞き逃すな！

怪物が出現する前には音が聞こえる。急いで隠れないとゲームオーバーだ。

これが真のエクストリームオビーだ!

パルクール

URL｜https://www.roblox.com/games/445664957/NEW-GEAR-Parkour

高評価 ▶ 81%　訪問者数 ▶ 3億

街を格好よく駆け抜けるアスレチック技術「パルクール」を、ロブロックスでプレイできるようにした高難度ゲーム。

実際のパルクールと同じ技術で、街自体をコースにしてオビーをプレイできる。

顔が占拠している巨大迷路を駆け抜けろ!

顔から逃げるゲーム

URL｜https://www.roblox.com/games/6205205961/Escape-Running-Head

高評価 ▶ 78%　訪問者数 ▶ 12億

追いかけてくる巨大な「顔」から逃げて、迷路から脱出を目指すゲーム。ふざけているようでいて結構難しいぞ。

「顔」は何体も徘徊している。行き止まりに追い詰められたらまず助からない。

謎の侵入者の動きを見極めて生き残れ

侵入者

URL | https://www.roblox.com/games/8073154099/MINESHAFT-The-Intruder

高評価 ▶ 91%　訪問者数 ▶ 5760万

家に設置しているカメラで侵入者の動きを監視し、隠れて助けが来るまで耐え忍ぶホラーゲーム。

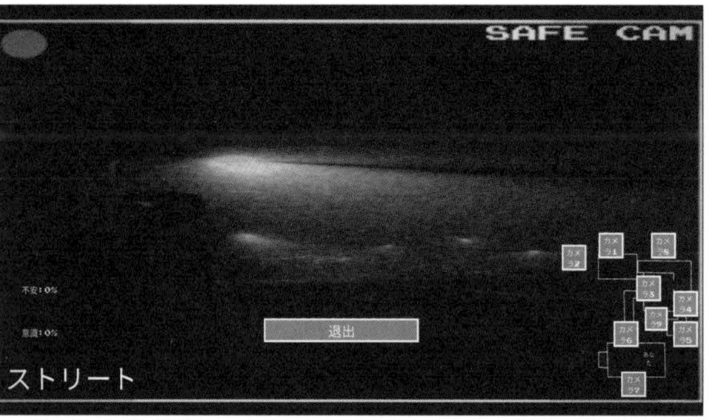

ヤツはどこに？いつ入ってくる？

暗い場所に隠れ続けていると、恐怖メーターが上がってゲームオーバーになる。

エレベーターを降りた先はいつも恐怖のフロア

激ヤバエレベーター!

URL | https://www.roblox.com/games/4104106043/Insane-Elevator

高評価 ▶ 86%　訪問者数 ▶ 7.4億

みんなでエレベーターに乗り、怪物のいる各フロアで生き残って、また上を目指す仕組みのサバイバルホラー。

次の階も恐怖のフロアです

フロアで一定時間生き残ると、またエレベーターに乗って次のフロアに行くのだ。

ついにバナナが人類に牙をむいた？

バナナキラー

URL | https://www.roblox.com/games/4448566543/Banana-Eats

高評価 ▶ 88%　訪問者数 ▶ 5.4億

バナナの怪物から制限時間終了まで逃げ、脱出を目指す鬼ごっこゲーム。ゲーム中のクエストにも挑戦しよう。

バナナは食べない バナナが食べる

ライフ制なので、一度捕まっただけではゲームオーバーにはならない。

預けられた託児所はクマちゃんの狩場だった……

テディ

URL | https://www.roblox.com/games/5901440255/Teddy

高評価 ▶ 76%　訪問者数 ▶ 4.8億

赤ちゃんになって、預けられた託児所を徘徊する殺人ティディベアから逃げて脱出を目指すゲーム。

恐怖のクマは赤ちゃんも襲う！

逃げるだけでなく、鍵を探してドアを開けたり、工具を使ったりする必要がある。

凶器を持ったカエルから逃げ回れ

フロッジ

URL | https://www.roblox.com/games/4845347966/Frogge

高評価 ▶ 87%　　訪問者数 ▶ 1.2億

凶器を持ったカエルから、制限時間終了まで逃げ回る鬼ごっこゲーム。ダウンしても仲間に助けてもらえるぞ。

助けに来た人までカエルにやられないように、ダウンした人も考えて動こう。

有名になったカラカルの顔で鬼ごっこをしよう

フロッパキラーからの脱出

URL | https://www.roblox.com/games/7122133099/UPD-6-DOORS-Escape-from-Floppa-Killer

高評価 ▶ 76%　　訪問者数 ▶ 1140万

ネットミームになったカラカルの顔をキャラにした鬼ごっこゲーム。「氷鬼」のルールでプレイするのだ。

逃げるだけではなく、鍵を探してドアを開け、ステージをクリアする必要がある。

赤ずきんちゃんからインスパイアされたストーリー

乗馬用フードストーリー

URL | https://www.roblox.com/games/4541527657/Riding-Hood-Story

高評価 ▶ 74%　訪問者数 ▶ 3250万

赤ずきんと一緒におばあさんの家に行くストーリーゲーム。オオカミや落雷など、原作越えの脅威が襲ってくるぞ。

ハードモードすぎる赤ずきんの世界

もたもたしているとライフを失ってゲームオーバーだ。意外と難度は高めだぞ。

家に押し入ってきた仮面の悪党を撃退せよ!

Break In (Story)

URL | https://www.roblox.com/games/3851622790/Break-In-Story

高評価 ▶ 90%　訪問者数 ▶ 19.3億

子供だけの家に凶悪な悪党が侵入してくるストーリーゲーム。窓を塞ぎ、それぞれの部屋で武器を持って生き残れ。

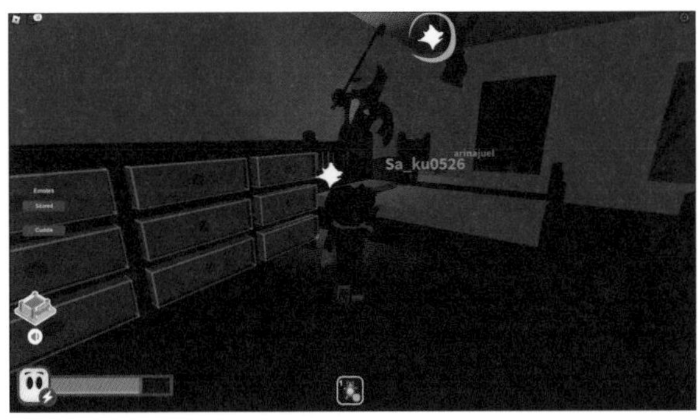

みんなで協力して家を守れ!

隠れたり窓を塞いだりして、ミッションをこなしてストーリーを勧めよう。

平和なキャンプ状に恐怖が忍び寄るストーリー

A Normal Camping Story

URL | https://www.roblox.com/games/4932018500/A-Normal-Camping-Story

高評価 ▶ 84%　訪問者数 ▶ 4140万

キャンプ場に遊びに行って、予想もつかないトラブルに巻き込まれる、ボリュームのあるストーリーゲーム。

普通のキャンプになるはずが……

モンスターはいるが優しい奴だった。と思ったらナイフを持った殺人鬼が出現!

素敵な豪華客船の旅は順調に進まない

クルーズ ストーリー

URL | https://www.roblox.com/games/5042581461/Cruise-Story

高評価 ▶ 79%　訪問者数 ▶ 18.8億

豪華客船でみんなと一緒にクルーズを楽しむストーリー。最初は楽しい旅だったが、やがておかしなことに……。

最高のクルーズ最悪の旅路

船員と一緒にみんなで競争する探し物ゲームなど、楽しいイベントもある。

おばあちゃんの家に遊びに行ったら大変なことに

おばあちゃんの訪問ストーリー

URL | https://www.roblox.com/games/4452830197/Grandma-Visit-Story

高評価 ▶ 71%　訪問者数 ▶ 1360万

おばあちゃんの家に遊びに行って、災難に遭ってしまうストーリーゲーム。次々発生するトラブルを乗り越えろ。

アレルギーにお片付け問題？

クッキーを焼いてくれたおばあちゃんが、夜には寝ぼけて暴れ出してしまう。

怪物が襲撃して飛行機が墜落してその次は……

休暇ストーリー

URL | https://www.roblox.com/games/3690950427/Vacation-Story

高評価 ▶ 80%　訪問者数 ▶ 2.5億

休暇で旅行に行ったところでトラブルに見舞われるストーリー。ライフが0になるとゲームオーバーになるぞ。

一難去ってまた一難……

飛行機に停電して、怪物に襲われて墜落! 海ではサメに襲われ、災難続きだ。

お金持ちの家の子供になれたと思ったら……

養子縁組ストーリー

URL | https://www.roblox.com/games/6894337917/Adoption-STORY

高評価 ▶ 85%　訪問者数 ▶ 4150万

お金持ちの家に養子にもらわれた子供たちのストーリー。人生円満かと思いきや、家に怖ろしい怪物が出現し……。

家の中に悪魔が出現？

謎の存在に襲われる。攻撃を受けてライフが無くなるとゲームオーバーだ。

飛行機に乗り遅れるな!

飛行機4 ストーリー

URL | https://www.roblox.com/games/5693152742/Airplane-4-Story

高評価 ▶ 76%　訪問者数 ▶ 1.5億

旅行のために空港に行くストーリーゲーム。空港に行くのに自家用飛行機に乗ったりと、驚きの展開が続くぞ。

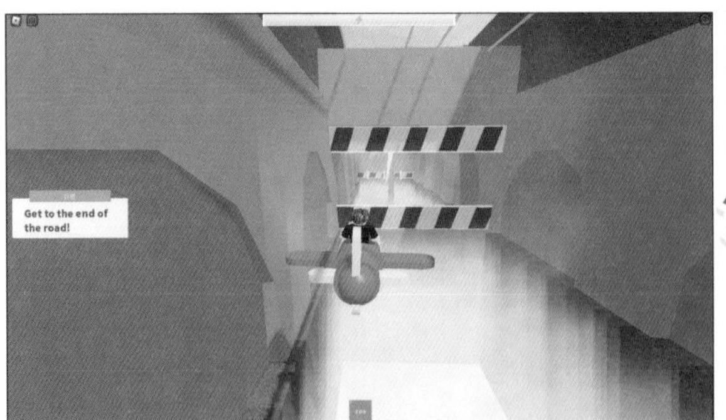

次に何が起こるか絶対わからない!

空港に着いたら、今度は怪人が世界征服をもくろみ始める。展開が予測不能だ。

トンネルの中で向かってくるのはヤツの顔

トンネルオリジナル

URL | https://www.roblox.com/games/7899661487/The-Tunnel-Original-updating-soon

高評価 ▶ 73%　訪問者数 ▶ 880万

仕事のために入った地下鉄のトンネル内で、有名なあの機関車の形をしたモンスターに襲われてしまう脱出ゲーム。

トンネルの仕事は命がけなのか？

奥から目を赤く光らせてヤツが迫ってくる。アスレチックの脱出要素もあるぞ。

怖ろし過ぎる怪物機関車からご飯を奪い取れ

Hungry Choo Charles

URL | https://www.roblox.com/games/5369070218/SONIC-Hungry-Choo-Charles

高評価 ▶ 72%　訪問者数 ▶ 12.1万

ゲーム『チューチューチャールズ』の怪物機関車からエサの石炭を奪って、安全エリアまで運ぶ脱出ゲーム。

逃げないと君がエサになるぞ！

怪物機関車は何種類もいる。足が速いので普通に逃げていると追いつかれてしまう。

空中を飛び回るアクロバティックオビー

引っかけフックオービー

URL | https://www.roblox.com/games/11634942124/Grappling-Hook-Obby

高評価 47%　訪問者数 3370万

ロープ付きフックをひっかけてスイングしながら次々と足場に飛び移っていく、空中ブランコオビー。

フックを投げると、空中で黄色い丸が表示されている枠へ自動的に引っかかる。

DON'T STOP Obby

URL | https://www.roblox.com/games/8500690972/DONT-STOP-Obby

立ち止まると即座にアウトになるオビー。落下や光る部分への接触もアウトだ。

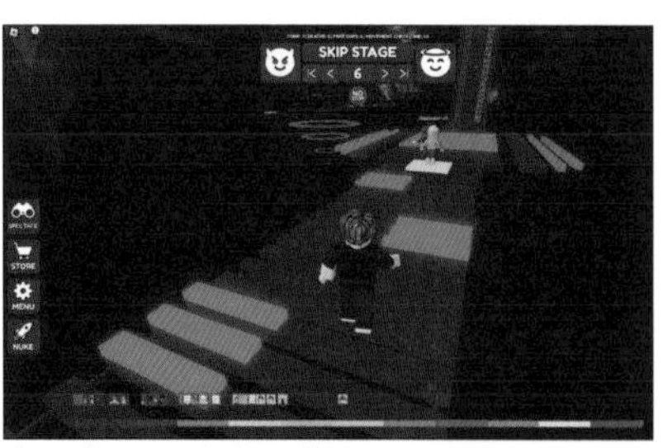

立ち止まって態勢を整えることはできない。常に歩き続けないといけないぞ。

ジップラインオービー

URL | https://www.roblox.com/games/10809467765/Zipline-Obby

柱に渡されたロープにぶら下がって移動するジップラインを使った空中オビー。

タイミングを計ってロープに飛びついたり、飛び下りたりする必要があるぞ。

強盗 2 ストーリー

URL https://www.roblox.com/games/7857138651/Robbery-2-Story

『強盗』のリブート作品。奪ったお金を取り戻すために、マフィアがやってくる！

冒頭の強盗の部分は同じだが、隠れ家が襲撃されてしまうのだ。

ブタ

URL https://www.roblox.com/games/4623386862/Piggy

謎の病気に感染して凶暴化してしまったブタさんたちが徘徊する危険地帯から脱出しろ!

ストーリーがあり、生存者との合流や脱出方法の模索などが描かれるぞ。

金庫をこじ開けて金をちょうだいしろ!

強盗 ストーリー

URL https://www.roblox.com/games/5548533908/Robbery-Story

高評価 ▶ 66%　訪問者数 ▶ 1240万

銀行強盗になってお金を強奪するストーリーゲーム。金庫から大量のお金を手に入れるが、予想外の事態になる。

バッグいっぱいの金を持ち逃げ!

人質を傷つけるのはダメだ。そして、警察が来る前に逃げなくてはいけない。

Math Obby

URL https://www.roblox.com/games/2686040248/Math-Obby

計算と障害物走を組み合わせたオビー。短い1ステージごとに計算問題を解いていく。

最初は簡単な「足し算」コース。引き算、掛け算、割り算と、難度が上がっていく。

ドージヘッドエスケイプ

URL https://www.roblox.com/games/8831256282/Doge-Head-Escape

可愛い柴犬が頭だけになって追いかけてくる迷路から脱出するゲーム。

プレイヤーは猫の着ぐるみを着た姿になる。可愛いと思える余裕がない。

体のサイズも変わる新感覚オビー

Grow Obby

URL https://www.roblox.com/games/2745185589/Grow-Obby

高評価 ▶ 66%　訪問者数 ▶ 4240万

体の大きさを変えて障害物を突破していくオビー。体を大きくして飛び越したり、小さくして潜り抜けたりするぞ。

サイズはいつでも変更できるのだ

体の大きさは画面下のスライダーで変えられる。丁度良いサイズにしていこう。

リモコンを探しに壮大な冒険へ?

失われたテレビリモートのクエスト

URL | https://www.roblox.com/games/7976933238/Quest-for-the-Lost-TV-Remote

高評価 ▶ 72%　訪問者数 ▶ 200万

どこかへ行ってしまったテレビのリモコンを探し、家の中から地下に至るまで探索するストーリーゲーム。

たかがリモコン されどリモコン

家の地下から続く謎のダンジョンを探し、リモコンを手に脱出しよう。

スピードラン 4

URL | https://www.roblox.com/games/183364845/Speed-Run-4

ハイスピードなパルクール系オビー。短いステージを次々とクリアしていくレースだ。

二段ジャンプや宙返りなどを駆使し、止まらずに一気に走り抜けるとクールだ。

パルクールラン!

URL | https://www.roblox.com/games/6811842210/Parkour-Run

パルクールを使って制限時間内にゴールまで行けるかを競うオビー。競争も楽しめるぞ。

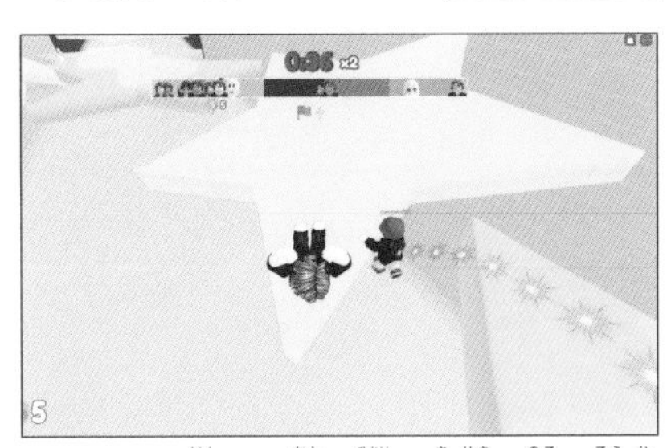

カスタムで走った後に光の軌跡を残す効果を付けることもできる。

危険すぎる家のおばあちゃんから逃げろ!

不機嫌なおばあちゃん! 怖いオビー

URL | https://www.roblox.com/games/9372570969/GRUMPY-GRAN-SCARY-OBBY

高評価 ▶ 62%　訪問者数 ▶ 2.5億

おばあちゃんの家で夜中にクッキーを食べてしまったせいで、おばあちゃんから追いかけまわされるゲーム。

なんで屋根裏にトラバサミが？

捕まるとアウト。罠だらけの屋根裏やゾンビがいる地下を抜け出せ。

フレディーズプレイグラウンド

URL | https://www.roblox.com/games/10891972395/UGC-Freddys-Playground

不気味な人形のフレディーから逃げながら、散らばっているマフィンを集めて脱出しよう。

フレディはどこからともなくいきなり現れて追いかけてくる。決して油断するな。

GREAT SCHOOL BREAKOUT!

URL | https://www.roblox.com/games/9099326192/GREAT-SCHOOL-BREAKOUT-First-Person-Obby

先生から逃げて学校から脱出を図る一人称視点ゲーム。オビーも脱出も入っているぞ。

教室の換気口から廊下までたどり着くと、先生が追いかけてくるぞ。

ウィルソンズ・プリズン 怖いオビー

URL https://www.roblox.com/games/10809888878/Wilsons-PRISON-SCARY-OBBY

脱出ゲームの中でもスタンダードな「脱獄」が題材のゲーム。生きて出られるか？

看守のウィルソンは迷路の中を怖ろしい姿で追いかけてくる。安全な場所はないぞ。

ミスター・おいしいのスーパー

URL https://www.roblox.com/games/11021288030/MR-YUMMYS-SUPERMARKET-EASTER-OBBY

店長がお客を閉じ込めてしまったスーパーから脱出しよう。店長の見た目が怖すぎる。

スーパーらしい商品棚や子供用の遊び場が特徴的なコースが作られている。

機械にいたずらした結果はこうなります

ミス・アニトロンの拘置所から脱出せよ! 怖いオビー

URL https://www.roblox.com/games/7167638464/Escape-Miss-Ani-Trons-Detention-SCARY-OBBY

高評価 ▶ 95%　訪問者数 ▶ 2.4億

人件費削減のために採用されたロボット先生が誤作動を起こして追いかけてくる学校から脱出するゲーム。

機械の先生は諦めないぞ……

アスレチック部分はやけに殺意が高い危険な仕掛けが置かれている。

だから電源を入れるなって言われてたのに……

ミスター・ファニーのトイショップから脱出しましょう! 怖いオビー

URL | https://www.roblox.com/games/7839281987/Escape-Mr-Funnys-ToyShop-SCARY-OBBY

高評価 ▶ 95%　訪問者数 ▶ 2.3億

おもちゃ屋の警備員として務めているときに、動き出してしまった人形から逃れるために脱出を試みるゲーム。

動き出してしまった邪悪な人形

人形に追われるだけでなく、「だるまさんが転んだ」などのゲームも入る。

パパピザ屋から脱出しよう! 怖いオビー

URL | https://www.roblox.com/games/6939111033/Escape-Papa-Pizzas-Pizzeria-SCARY-OBBY

なぜかピザ窯に人骨があるピザ屋から、店主に追われながら脱出するゲーム。

暗闇から怖ろしい形相をした店主が出てきて追いかけてくる。意外と速いぞ。

サー・スケアリーズ・マンション 怖いオビー

URL | https://www.roblox.com/games/11780309737/SIR-SCARYS-MANSION-SCARY-OBBY

眠りを邪魔されるのが嫌いな怪人サー・スケアリーから逃げて脱出するゲーム。

巨大な顔のサー・スケアリー。捕まると手にしている食器で食べられてしまう。

Escape the Barber Shop Obby!

URL https://www.roblox.com/games/4499688782/Escape-the-Barber-Shop-Obby-NEW

客を無理やり変な髪形にしてしまう美容室からの脱出を目指すオビー。

ハサミや櫛、ヘアスプレーなど美容室らしい物が置かれている。

パン屋パルクールのオビー

URL https://www.roblox.com/games/11134834534/ESCAPE-THE-BAKERY-PARKOUR-OBBY-CHRISTMAS

人間をドーナツの材料に使っている恐怖のパン屋から脱出を目指すオビー。

パン屋らしく小さくなってトースターの中に入る一幕もある。

エスケープザホスピタルオビー!

URL https://www.roblox.com/games/2028953950/Escape-The-Hospital-Obby-READ-DESC

患者を実験台にしてしまう邪悪な病院から脱出を目指すオビー。ステージは23あるぞ。

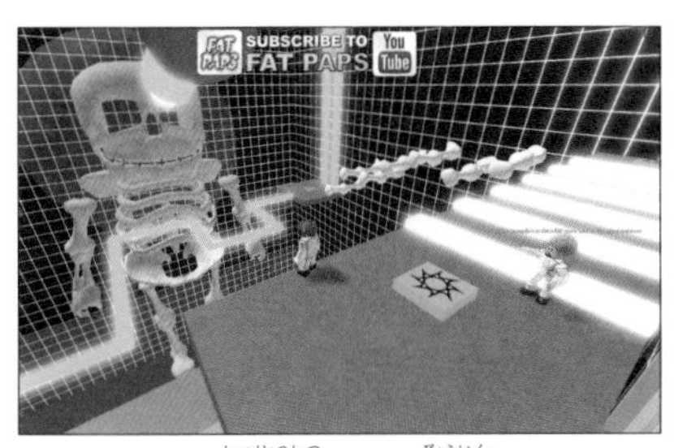

レントゲンや手術室などの病院らしいステージがある。

ホテルから脱出しろ! オビー

URL https://www.roblox.com/games/2028026021/ESCAPE-THE-HOTEL-OBBY-READ-DESC

マネージャーが封鎖して客を閉じ込めてしまったホテルから抜け出す脱出ゲーム。

ホテルのボーイからのアドバイスが入るので、少し動きやすくなっている。

ミスター・スマイリーの託児所から脱出せよ!

URL https://www.roblox.com/games/12061033753/ESCAPE-MR-SMILEYS-DAYCARE-Obby

謎の託児所から脱出するゲーム。託児所とは思えない危険なトラップだらけのオビーだ。

スマイリーから逃げる時に赤ちゃんに触れると、引っ付かれて動きが遅くなる。

ミスター・スティンキーの脱獄だ!

URL https://www.roblox.com/games/12329224874/MR-STINKYS-PRISON-ESCAPE-FIRST-PERSON-OBBY

一つ目の怪人「ミスター・スティンキー」が看守を務める刑務所から脱獄するゲーム。

スティンキーはほかのシリーズにも登場するキャラクターだ。

バリーズ刑務所ラン!

URL https://www.roblox.com/games/8712817601/BARRYS-PRISON-RUN-EASTER-HOLIDAY-Obby

看守のバリーから逃れて脱獄を目指すゲーム。逃げたるだけではなく戦うシーンもある。

一人称視点でのプレイになるが、設定で三人称視点に変えることもできるぞ。

ベイビー・バリーのプリズン・ラン!

URL https://www.roblox.com/games/12631860625/UPDATE-BABY-BARRYS-PRISON-RUN-Obby

『バリーズ刑務所ラン』のバリーたちが赤ちゃんになったほのぼのバージョン。

刑務所の見た目も子供っぽくなっているが、ゲーム内容とバリーの本気度は同じだ。

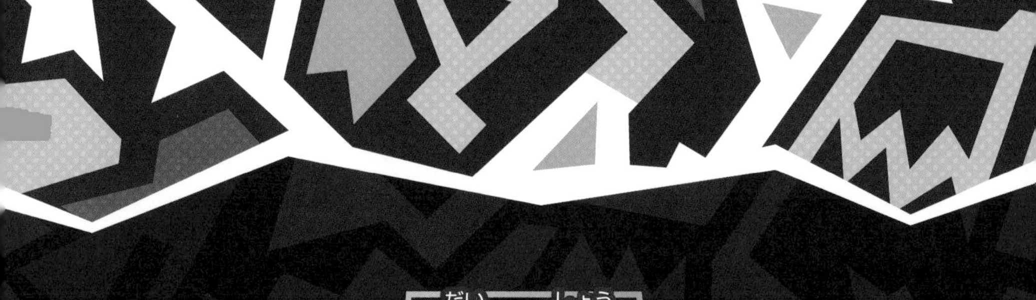

第4章

シミュレーション編

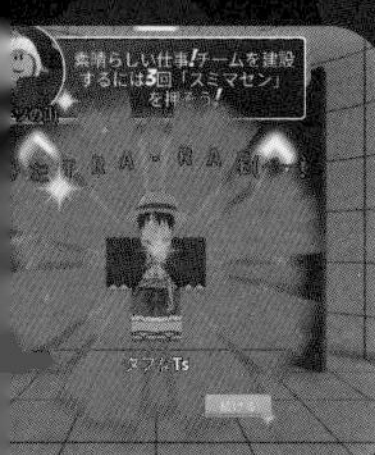

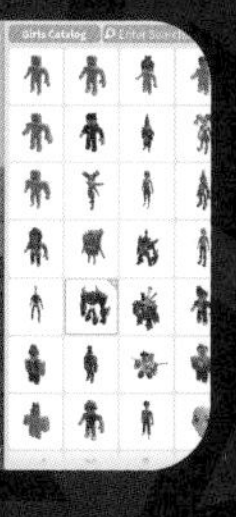

カワいいペットが大集合!

すべてのペットを集めよう!

URL | https://www.roblox.com/games/8884433153/Collect-All-Pets

高評価 ▶ 93%　訪問者数 ▶ 9,300万

全150種類のペットを集めていくゲーム。ペットたちは道にあるクリスタルを破壊してくれてお金を落とす。そのお金を集めて、さらにペットを充実させていこう。

画面上部にミッションが表示される。これのクリアを目指しながらプレイしよう。

ペットたちを集めまくれ！

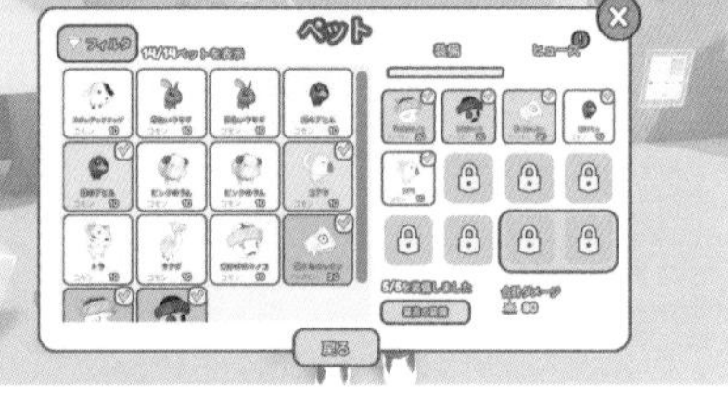

こんな動画で紹介されたよ!

▶ まくぎー

ペットを集めて図鑑を埋めよう！【Collect All Pets!】【Roblox】

1 ペットは合体できる

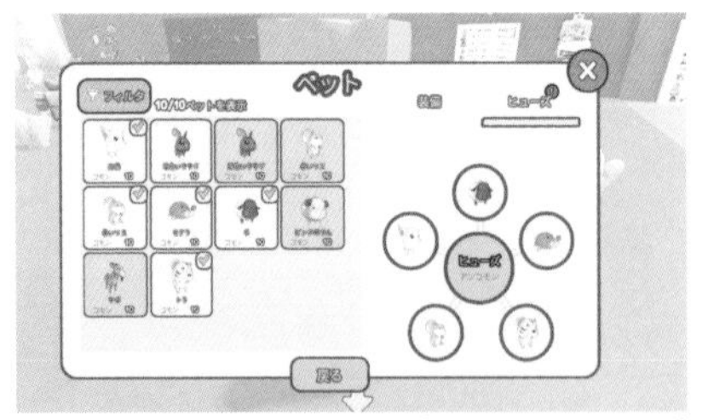

同じランクのペットを5体合体させると、次のランクのペットが生まれるぞ。

2 連れていくペットは見た目で選ぼう!

ランクが同じなら性能は同じ。ペットは見た目重視で選ぼう。

1つの街で楽しい職業体験!

シティライフ

URL | https://www.roblox.com/games/5802642341/City-Life

高評価 ▶ 84%　訪問者数 ▶ 1億

消防士や警察官、コックさんにスタイリストなど、さまざまな職業になりきって活動するゲーム。中には犯罪者になりきることもできてしまう!?

消防士であれば消火活動や、物に挟まれた人をオノで救出してお金を稼ぐのだ。

好きな職業を選んで遊び尽くそう!

こんな動画で紹介されたよ!

▶ さっちーロブロックス

いろんなお仕事で遊ぼう! City Life シティーライフ【ロブロックス】【ROBLOX】

1 食事や睡眠も忘れずに……

たまには自宅に帰って食事を取ったり、ベッドで寝たりしないといけないぞ。

2 街の中では事件がいっぱい!

街ではいろいろなプレイヤーが活動している。警官と犯罪者が銃撃戦を始めることも。

スライムをひたすら大きくするのだ

スーパースライムシミュレーター

URL | https://www.roblox.com/games/9712123877/Super-Slime-Simulator

高評価 ▶ 92%　訪問者数 ▶ 548万

どこかの庭のような場所で地面にあるものを吸収していくスライムのゲーム。吸収をすることで、どんどん大きくなっていくのが面白い。

最初は水の雫や葉っぱだけだが、徐々に昆虫など、大きなものも吸収できるようになる。

草刈りをしている人も歩いている!?

こんな動画で紹介されたよ!

▶ タコボンド

ちびでよわいスライムを育てすぎた結果…【Roblox】ロブロックス

1 ミニゲームが発生することも!

ミニゲームが発生したら参加してみよう。勝てば賞金がもらえるぞ。

2 転生してさらに巨大なスライムを目指せ!

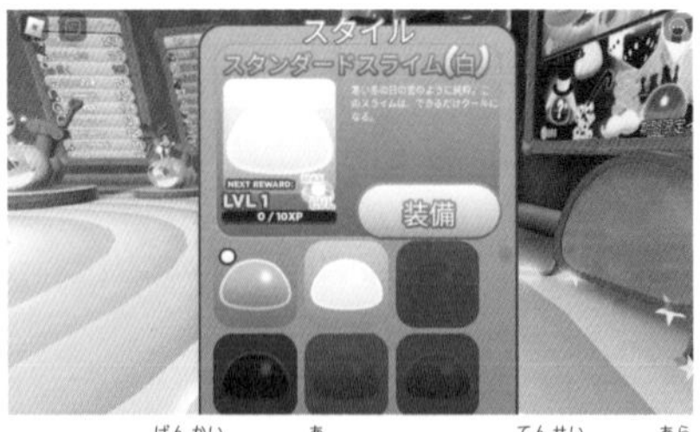

レベルが限界まで上がったら、転生して新たなスライムに生まれ変わろう。

有名キャラで戦うタワーディフェンス!

All Star Tower Defense

URL | https://www.roblox.com/games/4996049426/All-Star-Tower-Defense

高評価 ▶ 92%　訪問者数 ▶ 54億

進路上を侵攻してくる敵を、ユニットを置いて撃退するタワーディフェンス系ゲーム。ジャンプマンガ・アニメに登場する有名キャラがバンバン出てくるのだ!

繰り出す技が有名キャラのものそのまんま! 見た目も派手でカッコいい!

悟空にルフィ、ナルトに炭治郎も!

こんな動画で紹介されたよ!

▶ 青空ろぶろっくすROBLOX

アニメキャラ大集合! All Star Tower Defense 攻略その1【ROBLOX(ロブロックス)】

1 ユニットを置いて敵を迎え撃とう

ユニットは進路のそばに配置。攻撃範囲が進路を大きくカバーするように置こう。

2 ユニットのレベルアップを忘れずに

ユニットはレベルアップで、攻撃力、攻撃速度、範囲が上昇する。こまめに上げよう。

目指せ! 巨大チョコレート工場!

チョコレートファクトリータイクーン

URL | https://www.roblox.com/games/8453849439/Chocolate-Factory-Tycoon

高評価 ▶ 96%　訪問者数 ▶ 390万

チョコレートを作ってお金を稼いで、工場を大きくしていくゲーム。アップグレードは床にあるボタンを通るだけとシンプルで、簡単に工場を大きくできるのが楽しい。

チョコレートが次々と流れていくベルトコンベアを見ているだけでも楽しい!

おいしい工場作りの始まりだ!

こんな動画で紹介されたよ!

▶ マエスケ

課金して世界一巨大なチョコレート工場を作るロブロックス(Roblox)

1 あっという間にお金の単位が増えるぞ

お金の単位はプレイしているとすぐに増えていく。BはBillion(=10億)だ。

2 工場の外でジェムを集めよう

ジェムは工場の外にあるキャンディやゼリーを壊すと手に入るぞ。

サンリオのおなじみキャラと一緒にカフェ経営!

マイ・ハローキティ・カフェ

URL | https://www.roblox.com/games/9346039031/Pompompurin-My-Hello-Kitty-Cafe-Build

高評価 ▶ 97%　訪問者数 ▶ 2.6億

ハローキティやマイメロなどのキャラクターが登場するサンリオ公認のカフェ経営ゲーム。お金を稼いでメニューを充実させて、お店の規模を拡大しよう！

チュートリアルも充実しているので、とてもプレイしやすい点が◎。

クオリティ高すぎの公認ゲーム

こんな動画で紹介されたよ!

▶ ちろぴの

キティちゃんとカフェづくりをするロブロックス【ROBLOX / ロブロックス】

1 まずはお客さんにせっせとコーヒーを運ぼう

最初のメニューはコーヒーのみ。お客さんにどんどん運んでいこう。

2 アイテムがもらえるコードも多数ある!

アイテムコードも多数ある。「マイ・ハローキティ・カフェ コード」で検索してみよう。

ガスの力で空を舞え!

おならシミュレーター

URL | https://www.roblox.com/games/4950829171/UPDATE-4-Fart-Simulator

高評価 ▶ 86%　訪問者数 ▶ 4360万

食べ物を食べてガスを溜め、それを売って稼ぐゲーム。おならの力で空を飛び、新たなステージを目指そう。

食べ物や胃をアップグレード!?

おならのガスを売ってお金を溜め、マップ上空にある島を目指そう。

音楽フェスを自分の手で作り上げよう!

フェスティバル・タイクーン

URL | https://www.roblox.com/games/9648883891/Festival-Tycoon-BLIMP#!/

高評価 ▶ 90%　訪問者数 ▶ 2980万

音楽フェスの会場を作るゲーム。お金を稼いでボタンを踏むだけのシンプル操作で会場がどんどんできていく。

自分もダンスで楽しめる!

ダンスで賞金を稼ぐと無料でアクセサリを入手することもできるぞ。

車を作って売って大儲け!?

カーファクトリータイクーン!

URL | https://www.roblox.com/games/11874473440/2X-Car-Factory-Tycoon

高評価 ▶ 95%　訪問者数 ▶ 4270万

パーツを組み立てて車を作っていくゲーム。作った車は販売したり、自分でレースに出たりすることができる。

作った車でレースにも出られる!

溶接したりガラスを切断したりと、車の組み立ても面白い。

自分のクローン兵士が巨大ボスに挑む!

Clone Tycoon Warfare

URL | https://www.roblox.com/games/9810691700/COMBAT-UPDATE-Clone-Tycoon-Warfare

高評価 ▶ 86%　訪問者数 ▶ 283万

自分そっくりの見た目の兵士を生み出す工場を作っていくゲーム。大軍団を作って敵に立ち向かおう。

分身が次々と出撃していく!

戦闘はクローンが自動で行なってくれる。自分は戦闘には参加できないのだ。

快適な服役生活をさせてあげよう

私の刑務所

URL | https://www.roblox.com/games/10118504428/Easter-My-Prison

高評価 ▶ 84%　訪問者数 ▶ 4050万

街で犯罪者を捕まえて刑務所に入れてしまおう。犯罪者を集めてお金を稼ぎ、巨大な刑務所を作るのだ。

ここは本当に刑務所なの？

刑務所内のゴミを拾ったり、世話をしてあげないと、穴を掘って脱獄してしまう。

目指せ大都市!

My City Tycoon

URL | https://www.roblox.com/games/9361614975/My-City-Tycoon

高評価 ▶ 93%　訪問者数 ▶ 517万

街づくりシミュレーションゲーム。道路や街路樹、お店やマンションなどを作って移住者を呼び込もう。

好きな建物を建て放題！

家具店やジュエリーショップ、警察署など、建物を好きなように作ろう。

狙うは大物ドラゴン！

ドラゴンファイターシミュレーター

URL | https://www.roblox.com/games/11874473440/2X-Car-Factory-Tycoon

高評価 ▶ 96%　訪問者数 ▶ 3100万

弓矢を鍛えてドラゴンに挑戦しよう。引き連れるペットもドラゴン、敵もドラゴンとドラゴンづくしのゲームだ。

ダミー人形相手に鍛えまくれ！

アクション要素はほとんどなく、ひたすらタップで矢を放つだけ。

アニメのキャラが大暴れ！

究極のタワーディフェンス

URL | https://www.roblox.com/games/5902977746/Ultimate-Tower-Defense

高評価 ▶ 93%　訪問者数 ▶ 7.3億

「All Star Tower Defense」と同じように有名アニメのキャラのそっくりさんが登場するタワーディフェンスだ。

うまく配置して勝利を掴め！

敵をうまく攻撃できるようにユニットを置く位置を工夫しよう。

資源を集めて大軍団を作り出そう

軍隊をコントロール!

URL | https://www.roblox.com/games/10700669209/Moai-Island-Control-Army

高評価 ▶ 95%　訪問者数 ▶ 2110万

木や茂みを壊したり、モンスターを倒して資源を手に入れ、それを元手に兵士を増やし、軍団を作ろう。

雰囲気はちょっと『マイクラ』風

資源は自分のエリアに入ると売れるぞ。最初はバッグを増やすのがオススメ。

強力なタワーで撃退しよう!

タワーディフェンスシミュレータ

URL | https://www.roblox.com/games/9361614975/My-City-Tycoon

高評価 ▶ 94%　訪問者数 ▶ 25億

進路上を侵攻してくる敵を撃退する、シンプルなタワーディフェンス系ゲーム。

ゾンビの大群を迎え撃て!

タワーディフェンス系の王道。チュートリアルも親切でとっつきやすい。

第4章 シミュレーション編

ブロックを積み上げて巨大タワーを作るのだ!

毎秒+1ブロック

URL | https://www.roblox.com/games/12003400278/1-Block-Every-Second

高評価 ▶ 89%　訪問者数 ▶ 1000万

自動で積み上がっていくブロックで塔を作っていくゲーム。タップすれば加速することもできる。

ひたすらブロックを積むべし！

ペットがいれば、さらにブロックを積む速度が上がっていくぞ。

クモの巣を広げてクモの王国を作ろう!

クモになろう!タイクーン

URL | https://www.roblox.com/games/6794368433/Be-a-Spider-Tycoon

高評価 ▶ 92%　訪問者数 ▶ 7560万

自分のキャラがクモに変身し、クモの巣を広げて虫を集めるゲーム。集めた虫を売って巣を拡大しよう。

クモの巣育成ゲーム

捕まえた虫を背中に載せるのがちょっとカワイイ。巨大な巣を作ろう！

ガンコな汚れを落としまくる!

パワーウォッシュタイクーン

URL https://www.roblox.com/games/11572573905/NEW-Power-Wash-Tycoon

高評価 ▶ 95%　訪問者数 ▶ 1350万

高圧洗浄機を使って建物を掃除するゲーム。汚れ切った床や壁を掃除するのが気持ちいい！

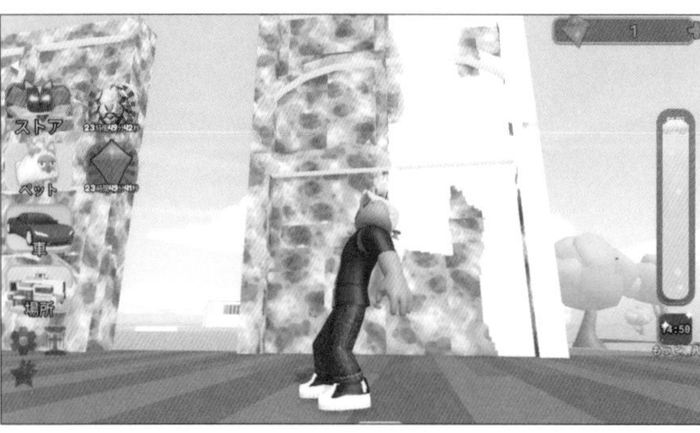

さあ、今から掃除の時間だ

左右や上下の出っ張りは見落としやすいので、角度を変えながら掃除していこう。

とんでもない量のゴミが落ちているぞ

シークリーニングシミュレーター

URL https://www.roblox.com/games/9361614975/My-City-Tycoon

高評価 ▶ 87%　訪問者数 ▶ 830万

海に落ちている空き缶やお菓子の箱などのゴミを集めるゲーム。船をアップグレードしてゴミを集めまくろう。

ゴミを売って船を大きくしよう

最初はイカダだが、船をどんどん大きくできるのが楽しい。

『ロブロックス』で最も人気のゲーム!

Adopt Me!

URL | https://www.roblox.com/games/920587237/Adopt-Me

高評価 ▶ 83%　訪問者数 ▶ 328億

『ロブロックス』で最も訪問者数が多い、ペット育成ゲーム。自分のアバターの見た目も専用のものに変えられる。

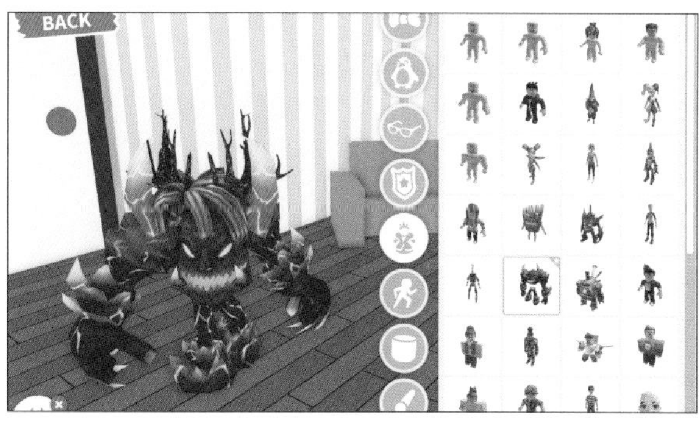

個性豊かな街でペットを探そう

メッセージなどの言語は英語メインなので、ちょっとわかりづらいかも。

『ロブロックス』で訪問者数第2位!

ブルックヘイブン

URL | https://www.roblox.com/games/4924922222/Brookhaven-RP

高評価 ▶ 87%　訪問者数 ▶ 297億

なんでもありの生活を送れるライフスタイルゲーム。学校に通い、仕事をし、車を運転し、好きなように過ごそう。

ここの街では何をしてもOK!

とにかく何でもできるゲーム。自動翻訳される部分も多いが、言語は英語メイン。

カートに乗って飛び出そう!

ショッピングカートシミュレーター!

URL | https://www.roblox.com/games/8705534359/Shopping-Cart-Simulator

高評価 ▶ 74%　訪問者数 ▶ 472万

ショッピングカートに乗ってジャンプした距離を競うゲーム。カートをアップグレードして飛距離を伸ばそう。

トリックを華麗に決めろ!

空中での姿勢やトリックで得点を稼げば、よりお金を稼げるぞ。

常時1万人以上が遊ぶライフシミュレーションゲーム

ミープシティ

URL | https://www.roblox.com/games/370731277/MeepCity

高評価 ▶ 85%　訪問者数 ▶ 152億

好きなことをして楽しめるライフシミュレーター。ミニゲームが豊富で、自分の家をカスタマイズできるのが特徴。

多彩なミニゲームも面白い

学校に行くも良し、仕事をするも良し。思いつくまま、好きなことをして遊ぼう。

軍隊を作ってエリアを攻略!

司令官シミュレータ

URL | https://www.roblox.com/games/10120194680/UPD-1-1-20-Commander-Simulator

高評価 ▶ 79%　訪問者数 ▶ 1060万

軍団を作って敵陣にある旗を奪い取るゲーム。司令官自らも戦うことができ、兵士とともに敵を倒そう。

敵陣の旗を奪い取ろう

自分の武器もアップグレードすること。やられそうになったら戻って立て直そう。

優秀な部下を集めよう!

Army Control Simulator

URL | https://www.roblox.com/games/2206090519/Army-Control-Simulator

高評価 ▶ 90%　訪問者数 ▶ 4880万

木を伐採するなどして資源を溜めて軍団を作っていくゲーム。最大で9人の兵士を引き連れることができる。

自分の拠点を育てていこう

まずは木の伐採と自分のエリアの往復でお金を溜めるのがオススメ。

繰り出せる技は『ワンパンマン』風

最強のバトルグラウンド

URL | https://www.roblox.com/games/10449761463/Saitama-Battlegrounds

高評価 ▶ 82%　訪問者数 ▶ 1.4億

地が割れ、空が裂ける！　アニメのような技を繰り出し、プレイヤーを打ち負かそう。

上のキャラクターアイコンをタップすると技の種類を変えられる。

お手軽ウォーターパーク体験！

アクアリアーナ アクアティックパーク

URL | https://www.roblox.com/games/370731277/MeepCity

高評価 ▶ 84%　訪問者数 ▶ 4.7億

巨大なウォーターパークで遊べるゲーム。とくに収集要素は無く、ウォーターパークを散策するだけ。

テレポート機能を使えば、アトラクションの入口までひとっ飛び！

お手軽家づくりゲーム

ハウスタイクーン

URL | https://www.roblox.com/games/3571215756/House-Tycoon

高評価 ▶ 88%　訪問者数 ▶ 1.8億

ボタンを押して家を作っていくシミュレーションゲーム。入口付近にある街灯に触れるとお金をゲットできるぞ。

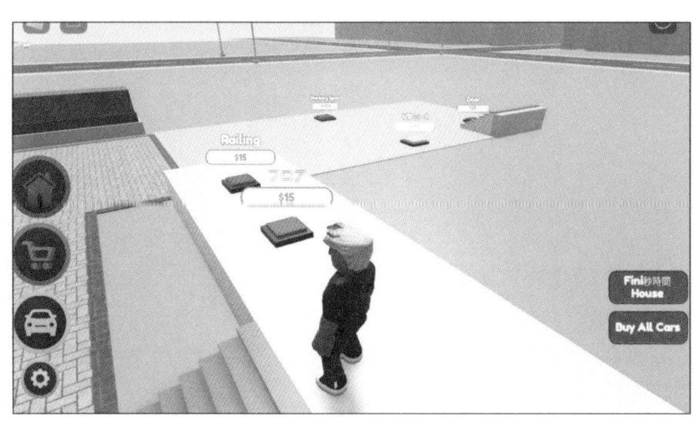

家具もバッチリ揃えられる

家が完成に近づくほど得られるお金も増える。豪邸が簡単に作れてしまう。

戦略を練って勝利を掴め!

タワーバトル

URL | https://www.roblox.com/games/45146873/Tower-Battles

高評価 ▶ 91%　訪問者数 ▶ 5.6億

タワーディフェンス系ゲーム。攻撃範囲を考えてユニットを配置して、敵を撃退しよう。

アップグレードがカギ!

ユニットをアップグレードして敵の大群をうまく撃退していこう。

ゾンビを撃退する防衛システムを築こう

ゾンビ防御タイクーン!

URL | https://www.roblox.com/games/4999590694/Zombie-Defense-Tycoon

高評価 ▶ 84%　訪問者数 ▶ 4300万

基地に押し寄せるゾンビを撃退するゲーム。銃をアップグレードしたり、壁を作るなどして、撃退しよう。

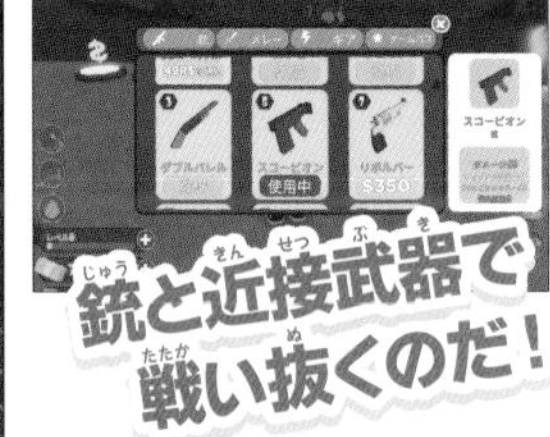

自分も攻撃することができる。どの武器を持つかも大事になってくる。

押し寄せるキラー相手に生き延びろ!

生き残るために作成!

URL | https://www.roblox.com/games/7250769796/Build-to-Survive

高評価 ▶ 77%　訪問者数 ▶ 3億

一定時間ごとに押し寄せてくるゾンビやキラーを相手に生き延びるゲーム。作れるのはブロックによる壁だけだ。

壁が何も無いと、ただ逃げるだけになってしまう。ブロックをうまく使おう。

目指せ五つ星レストラン!

レストランタイクーン2

URL | https://www.roblox.com/games/3398014311/CAKE-UPDATE-Restaurant-Tycoon-2

高評価 ▶ 92%　訪問者数 ▶ 9.7億

レストラン経営ゲーム。レストランの外観はもちろん、メニューも各国の料理から好きに選べる。

メニューを聞いて料理を作ろう。シェフやウェイターを雇えば自動化できる。

ヤバすぎる暴走車を作り出そう

カークラフト 車両シミュレーター

URL | https://www.roblox.com/games/45146873/Tower-Battles

高評価 ▶ 92%　訪問者数 ▶ 1370万

車に銃器やサメの頭などを付けて戦うゲーム。ひとたびフィールドに出ればモブもプレイヤーもすべて敵だ。

戦闘フィールドでは、自分以外のプレイヤーにも攻撃できるぞ。

火災現場に急行せよ!

Firefighter Simulator

URL | https://www.roblox.com/games/4999590694/Zombie-Defense-Tycoon

高評価 ▶ 93%　訪問者数 ▶ 1640万

火事を起こした家や建物を消火していくゲーム。タンクの水が切れたら消火栓で補充しよう。

タンクと消火器をアップグレード

水を撒いて火を消そう。延焼はしないので、ちょっと掃除みたい?

ピザ・ファクトリー・タイクーン

URL | https://www.roblox.com/games/470702250/Pizza-Factory-Tycoon

ピザ屋を経営するゲーム。好きな材料を組み合わせて至高のピザを届けよう!

自分のピザ屋にお客がたくさん入っていくのを見るのは嬉しいぞ。

プレインクレイジー

URL | https://www.roblox.com/games/166986752/Plane-Crazy

自分でパーツを組み合わせて乗り物を作ろう。飛行機、車、ボートなどなんでもアリだ。

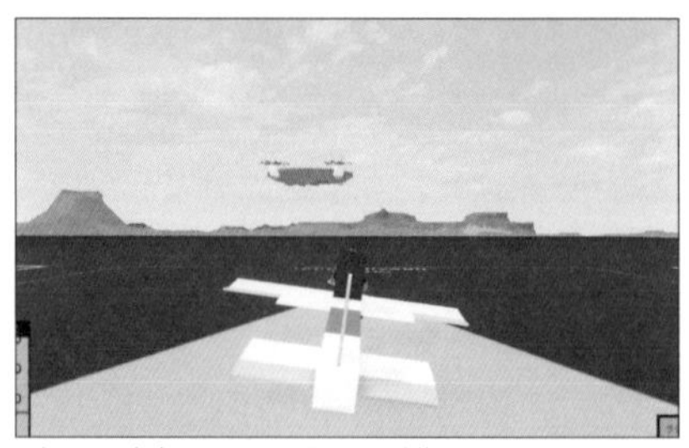

作った機体には、乗って遊ぶこともできるようになっている。

テーマパークタイクーン 2

URL | https://www.roblox.com/games/69184822/Theme-Park-Tycoon-2

ジェットコースターを好きなように組むなど、テーマパークを作るゲーム。

自分で作ったジェットコースターにフレンドと一緒に乗ることもできるぞ。

+1秒ごとにクローン

URL | https://www.roblox.com/games/12119304281/1-Clone-Every-Second

1秒ごとに自分の分身が出てきて合体させることでレベルが上がっていく。

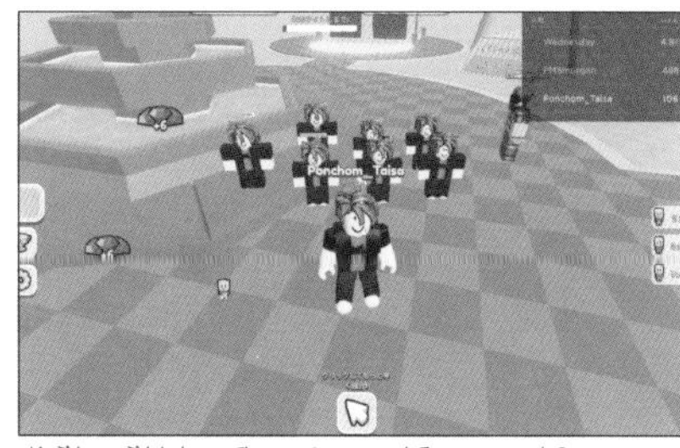

自分の分身を引き連れて歩くのは楽しいが、遊べる要素は少な目かも。

無限の胃袋に吸い込まれる…

ヌーブにエサやりタイクーン

URL | https://www.roblox.com/games/10894722579/Feed-The-Noob-Tycoon

高評価 ▶ 93%　訪問者数 ▶ 1100万

『ロブロックス』のマスコット的キャラ、ヌーブ君に食べ物をあげまくるゲームだ。

食べ物は、ハンバーガー、ピザ、フライドポテトなど太りそうなものばかりだ。

ケーキを作ろう!

URL | https://www.roblox.com/games/39972972/Make-a-Cake-UPDATE

ベルトコンベアでケーキを作っていくゲーム。ケーキのレシピを増やしていこう。

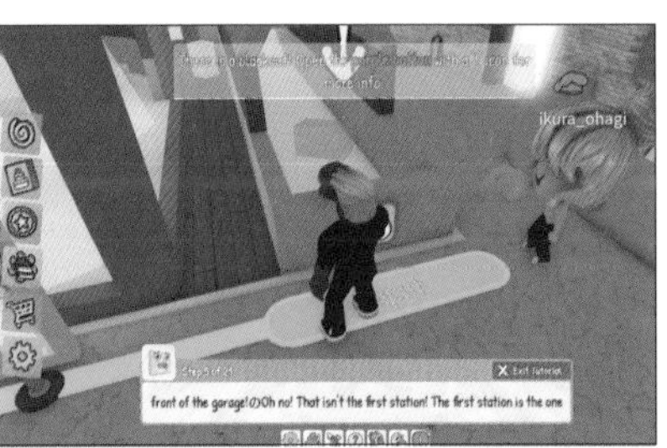

世界では人気のゲームだが、自動翻訳機能はなく、すべて英語のみとなっている。

ケーキを作ってジャイアント・ヌーブに餌をやろう

URL | https://www.roblox.com/games/28248568/Make-a-Cake-And-Feed-the-Giant-Noob

左の「ケーキを作ろう」のジョークゲーム。見た目はそっくりだが、ヌーブ君に食べられる。

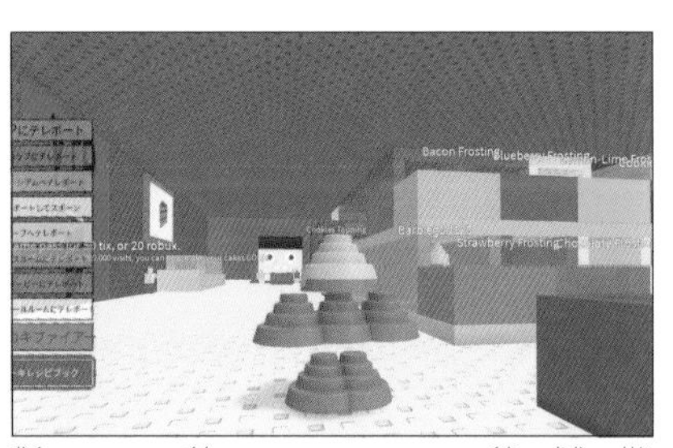

奥にヌーブ君がいる。ちなみに口の中に入ることができるぞ。

汚れをゴシゴシ落としていこう

圧力洗浄シミュレータ

URL | https://www.roblox.com/games/4999590694/Zombie-Defense-Tycoon

高評価 ▶ 85%　訪問者数 ▶ 9120万

車、家、庭などを高圧洗浄機で掃除していくゲーム。みるみるキレイになっていくのが気持ちいい。

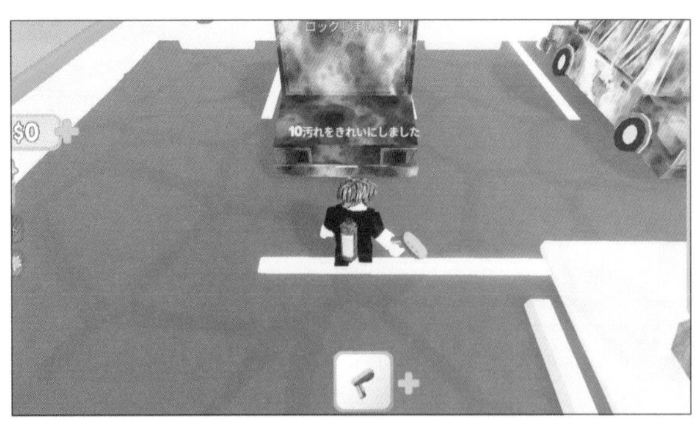

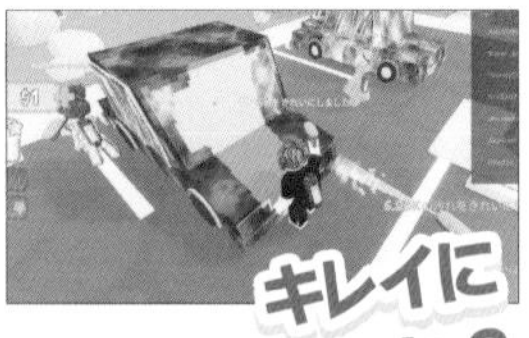

キレイに掃除できるかな?

汚れを落とせばお金がもらえるので、装備をアップグレードしよう。

ライフ・アット・ザ・フォージャー・アパートメント

URL | https://www.roblox.com/games/10074415861/SPY-x-FAMILY-Life-at-the-Forger-Apartment-RP

高評価 ▶ 85%　訪問者数 ▶ 21.5万

アニメ『SPY×FAMILY』のフォージャー家を再現したゲーム。ロイドやアーニャ、ヨルに変身できるぞ。

家の間取りもカンペキに再現!?

ただ家を散策できるだけだが、細かなところまで再現されている。

ゾンビバトルタイクーン

URL | https://www.roblox.com/games/11877743732/UPD-Zombie-Battle-Tycoon

施設や武器をアップグレードしてゾンビと戦うゲーム。ゾンビの群れを撃退しよう。

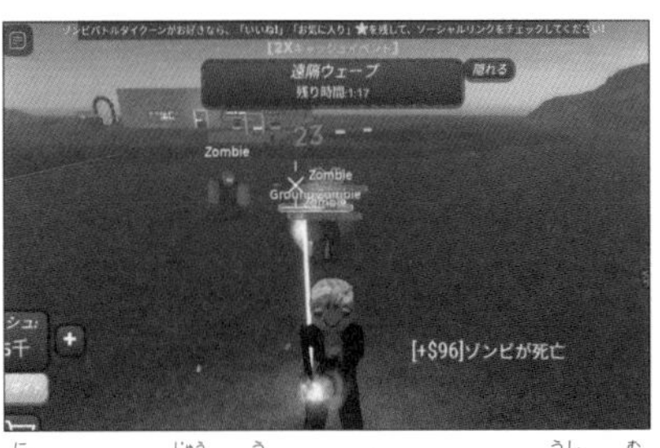

逃げながら銃を撃つのがオススメ。後ろ向きでも銃を撃つことができる。

託児所タイクーン

URL | https://www.roblox.com/games/5573461333/Daycare-Tycoon

託児所を作るシミュレーションゲーム。床にあるボタンを押して作っていこう。

おもちゃを集めてお金を稼ぎ、パーツを組み立てていこう。

壁を殴り続けるのだ!

Punch Wall Simulator

URL | https://www.roblox.com/games/12851888521/Punch-Wall-Simulator

高評価 ▶ 96%　訪問者数 ▶ 3720万

パンチ力を上げて壁を壊しまくるゲーム。オートでトレーニングや壁を壊す機能などもあり、とても親切。

パンチ力を鍛えて壁を壊せ!

転生（Rebirth）するとパンチ力が上がりやすくなる。早めにするのがオススメ。

ビルド・タワー・シミュレーター

URL | https://www.roblox.com/games/7548385157/3X-Build-Tower-Simulator

自分でブロックを積み上げて基地を作って戦うゲーム。銃と近接攻撃を使い分けよう。

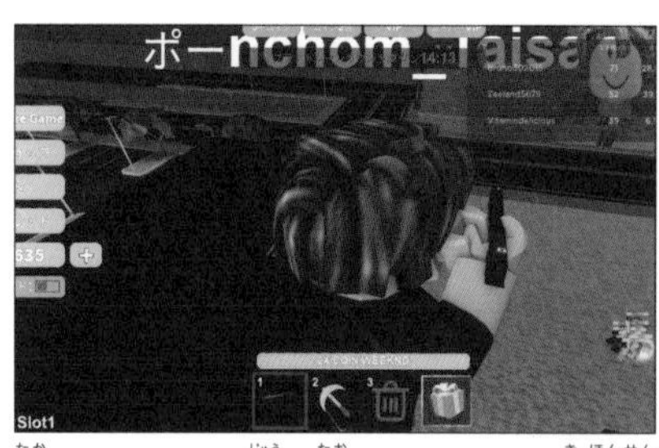

高いところから銃で倒していくのが基本戦術。安全に戦おう。

ビルドトゥサバイバルシミュレーター

URL | https://www.roblox.com/games/6291222298/NEW-BOSS-Build-to-Survive-Simulator

建築で生き延びるのが目的のゲーム。敵だけでなく、竜巻などの自然災害が来ることも。

次に何が来るのか予告されるので、その対策ができるような建築をしたい。

ゾンビ相手に知恵で生き残れ!

ゾンビを生き延びるためにビルド!

URL | https://www.roblox.com/games/6132051504/Build-to-Survive-the-Zombies

高評価 ▶ 74%　訪問者数 ▶ 724万

ゾンビの群れを建築で防いで生き延びるゲーム。近くに基地があり、基地への攻撃も減らさないといけない。

自分だけ生き残ればそれでいい?

基本的に高い場所が安全。もしくは自分を囲むように壁を作ってもOK。

ビースウォームシミュレータ

URL | https://www.roblox.com/games/1537690962/Bee-Swarm-Simulator

ハチの巣育成ゲーム。花粉を集め、ハチミツを作る。ハチミツを求めるクマと仲良くなろう。

ハチの巣のデザインは、自分の好きなようにすることができるぞ。

チュー・チャールズ・モーフ

URL | https://www.roblox.com/games/12126971382/NEW-Choo-Charles-Morphs

クモのような化け物に変身するゲーム。島の中に卵があり、集めることができる。

卵を取ると、そのモンスターに変身できる。ピ●チュウのようなモンスターもいる。

スライムをひたすら合体!

スライムタワータイクーン

URL | https://www.roblox.com/games/10675066724/Slime-Tower-Tycoon

高評価 ▶ 90%　訪問者数 ▶ 2640万

スライムを合体させていくゲーム。スライムから出てくるボールを換金してスライムを買おう。

集めたボールは大釜で自動換金される。換金の速度をアップグレードもできる。

Build A Ship

URL | https://www.roblox.com/games/10675066724/Slime-Tower-Tycoon

ブロックを組み立てて船を作るゲーム。作った船を走らせることもできる。

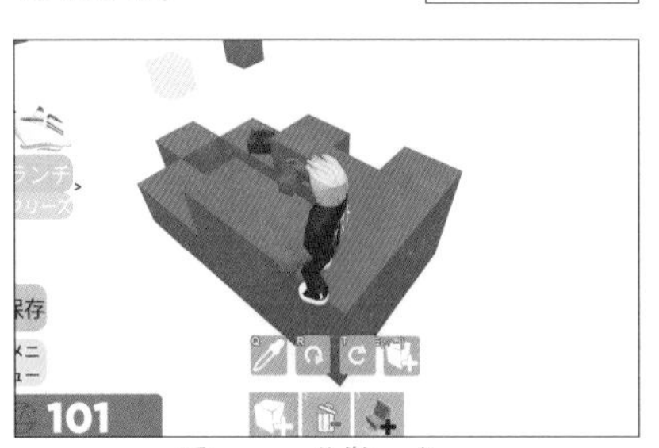

ブロックの色などは自分で決めることができるぞ。

世界の防衛者 -タワーディフェンス

URL | https://www.roblox.com/games/5732966938/WORLD-DEFENDERS-Tower-Defense

さまざまな場所で戦うタワーディフェンス。恐竜や宇宙人を相手に戦おう。

タワーディフェンスとしては、オーソドックスなスタイルなので遊びやすい。

第5章

スポーツ・その他編

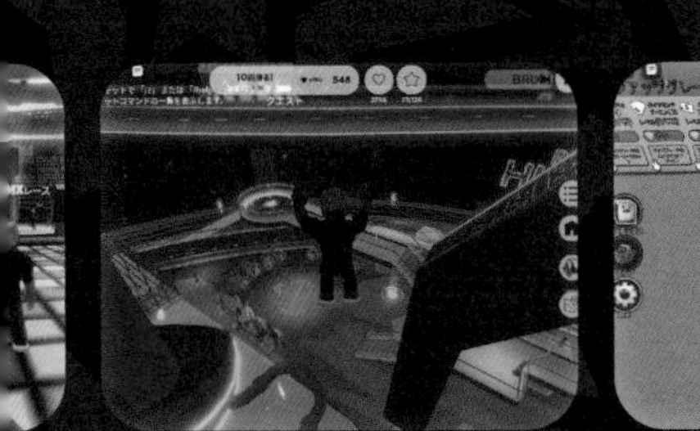

目指すははるか高みへ!

1秒ごとにジャンプ力+1を獲得する

URL | https://www.roblox.com/games/11063612131/Every-Second-You-Get-1-Jump-Power

高評価 ▶ 90%　訪問者数 ▶ 1.4億

ジャンプ力がどんどんと上がっていくワールドで高い壁を乗り越えていくゲーム。壁のバリエーションが豊富で、工夫するといろいろな上り方ができるのが面白い。

メインの壁は、色の境い目で段差がついて休めるようになっている。

驚異のジャンプ力で壁を越えろ!

こんな動画で紹介されたよ!

▶ マエスケ

毎秒ジャンプ力が+1されるロブロックス(Roblox)

1 まずはメインの壁を乗り越えよう

壁を越えると、勝利がプラス1されて、ジャンプ力が0に戻る。

2 ペットを買って強化しよう

勝利を使ってペットを購入する。ペットにはジャンプ力が増えやすくなる効果がある。

スケートと音楽どちらも高クオリティ!

スプラッシュ スケート&音楽

URL | https://www.roblox.com/games/4936591712/SPLASH-Skate-Music

高評価 ▶ 90%　訪問者数 ▶ 3.2億

スケートボードやクラブDJなどのミニゲームが遊べるワールド。さまざまなルールがあって、ソロでもマルチプレイでも楽しめる。

スケボーではさまざまなルールで対戦することができるぞ。

こんな動画で紹介されたよ!

▶ Golden Gamer

Roblox Splash Music & Skate - Skate High Pro Gameplay And Tricks!

1 スケボーでチームプレイを楽しむ

スケボーには特定のパネルを取る陣取り戦のようなマッチがある。

2 クラブDJとして音楽を楽しむ

DJモードでは音楽に合わせてテンポや音程を調整して観客をのせよう。

ファッションの世界でいざ勝負!

Fashion Famous

URL | https://www.roblox.com/games/568350650/Fashion-Famous-Update

高評価 ▶ 85%　訪問者数 ▶ 19.7億

時間内にコーディネートを決めて、プレイヤー同士で得点を競うファッションバトルゲーム！　出されたお題に沿ったファッションで勝負しよう。

ほかのプレイヤーの点数を付けるのはプレイヤー自身なのだ。

多数のパーツからベストを探そう!

こんな動画で紹介されたよ!

▶ TAMAchan

1番かわいくなった人が勝ち！ファッションショーでガチバトルしたら面白すぎたww【ロブロックス / Roblox】【たまちゃん】

1 好きなパーツを選ぼう

服や小物はもちろん、髪や顔も並んでいるパーツから選ぶ必要がある。

2 最終的に順位が決まるぞ

1人ずつステージでポーズを決めて得点を付ける。最後に結果が表示されるのだ。

ありえない距離から華麗にダンクを決めよう!

ダンクシミュレーター

URL | https://www.roblox.com/games/7655745946/2x-Dunking-Simulator

高評価 ▶ 86%　訪問者数 ▶ 1.2億

バスケットボールのダンクシュートを決めるゲーム。最初は近い距離からのシュートだけだが、能力をアップさせると、とんでもない距離からシュートできるようになる。

能力が上がると、ハーフラインからでも余裕で決められるようになる。

ド派手なエフェクトがカッコいい！

こんな動画で紹介されたよ!

▶ タコボンド

バスケの神を目指すロブロックスをやりこんだら世界最強のダンク技できた【Roblox】

1 ボールやジャージを揃えよう

自身のアップグレードのほかにボールやジャージも買える。お金を稼ぎやすくなるぞ。

2 ダンクを決めまくって地球脱出!

慣れるとコンボを連発できるようになる。お金を稼いで地球外の星を目指そう。

どこかで見たキャラを連れていざダッシュ!

アニメレースクリッカー

URL | https://www.roblox.com/games/10714365287/Easter-Anime-Racing-Clicker

高評価 ▶ 91%　訪問者数 ▶ 8030万

『ナルト』、『ドラゴンボール』、『ワンピース』などのアニメに出てくる登場人物そっくりなキャラを連れてレースをするゲーム。

レースといっても一本道を走るだけ。「自動走行」をオンにすると楽に走れるのでオススメ。

こんな動画で紹介されたよ!

▶ NoOnE【のーわん】

クリックすると足が速くなるアニメキャラを連れてナルト走りするロブロックスを最後までやってみた結果【Roblox Anime Race Clicker】

1 ガチャを引いてキャラを集めよう

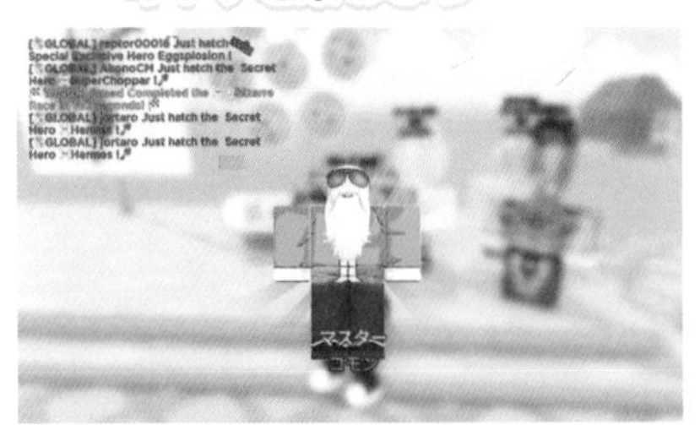

レースで手裏剣を貯めるとガチャを引ける。キャラを集めて合成して強化しよう。

2 さらに高難度のレースに挑もう

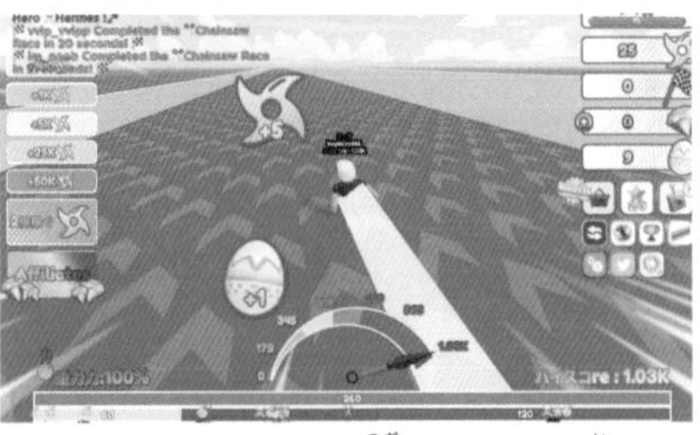

レースでゴールすると次のエリアに行くことができる。

いくらでも遊べる最強ミニゲーム集

エピックミニゲーム

URL | https://www.roblox.com/games/277751860/Epic-Minigames

高評価 ▶ 89%　訪問者数 ▶ 19.7億

多人数で遊べるパーティーゲームが多数あるミニゲーム集。スゴロクのようにじっくり遊ぶものから、イス取りゲームのように瞬発力が必要なものまでさまざま。

上から天井が落ちてくる前にどこかの穴に入るイス取りゲームのようなもの。

みんなでワイワイ楽しもう

こんな動画で紹介されたよ！

▶ KahoSei Channel from Canada

きゃ～ ミニゲームがいっぱい ゲーム実況 ROBLOX Epic Mini Games

1 「プレイ」でゲームを始める

看板の前で「プレイ」を押すとゲームに参加することができる。

2 ゲームを楽しもう

スゴロク＋ミニゲームの『マリオパーティ』風スゴロクもある。

マクラーレンの車で街を爆走！

マクラーレン F1 Racing Experience

URL | https://www.roblox.com/games/8526353932/McLaren-F1-Racing-Experience

高評価 ▶ 71%　訪問者数 ▶ 477万

自動車メーカー『マクラーレン』公式ゲーム。車を選んで街を乗り回すことができる。

ロビーにあるヘルメットを取るとアバターアイテムとしてもらえるぞ。

はいウノって言ってないー！

UNOfficial

URL | https://www.roblox.com/games/8571687919/UNOfficial

高評価 ▶ 89%　訪問者数 ▶ 9310万

カードゲーム「UNO」を遊べるゲーム。さまざまなローカルルールにも対応している。

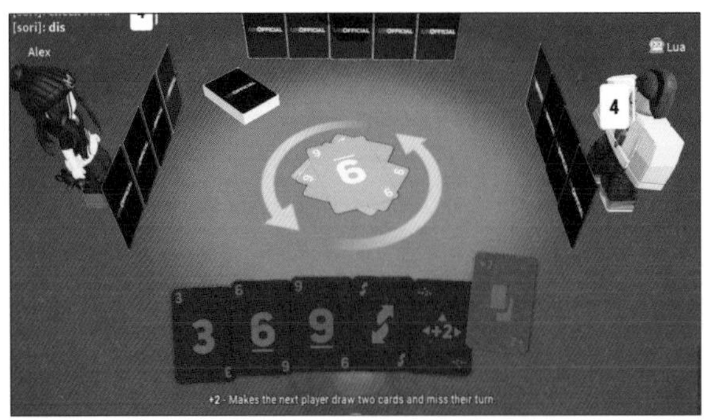

最後の1枚になると「ウノ」の代わりにボタンを押して「オフィシャル」と言うのだ。

街を歩くだけでも楽しいレース風ゲーム

Spotifyアイランド

URL | https://www.roblox.com/games/8209480473/Spotify-Island

高評価 ▶ 83%　訪問者数 ▶ 2810万

音楽ストリーミングサービス『Spotify』公式ゲーム。好きな音楽とともにコースを駆け抜けよう！

走り抜けてハートを集めよう

レース自体はかなり簡単。誰でも楽しめるようになっているぞ。

多人数参加型『マイクラ』風ゲーム

サバイバルゲーム

URL | https://www.roblox.com/games/11156779721/Arctic-The-Survival-Game-BETA

高評価 ▶ 81%　訪問者数 ▶ 8300万

『マインクラフト』のサバイバルモードのように資材や食料を集めて冒険するゲーム。

ほかのプレイヤーとバトルも!?

プレイヤー同士で攻撃できるので、いきなり襲われてしまうこともある。

ボールを投げまくろう!

NFLクォーターバックシミュレータ

URL | https://www.roblox.com/games/11504594758/NFL-QUARTERBACK-SIMULATOR

高評価 ▶ 71%　訪問者数 ▶ 477万

アメフトリーグ『NFL』公式ゲーム。クォーターバックのようにボールを的に向かって投げつけよう。

カードを引いて仲間を集めればより的を早く壊せるようになるぞ。

目指すはヌシ釣り!!

Fishing Simulator

URL | https://www.roblox.com/games/2866967438/BAITS-Fishing-Simulator

高評価 ▶ 96%　訪問者数 ▶ 5080万

釣りができるゲーム。メッセージは英語だが、チュートリアルではどこに行けばいいかを教えてくれる。

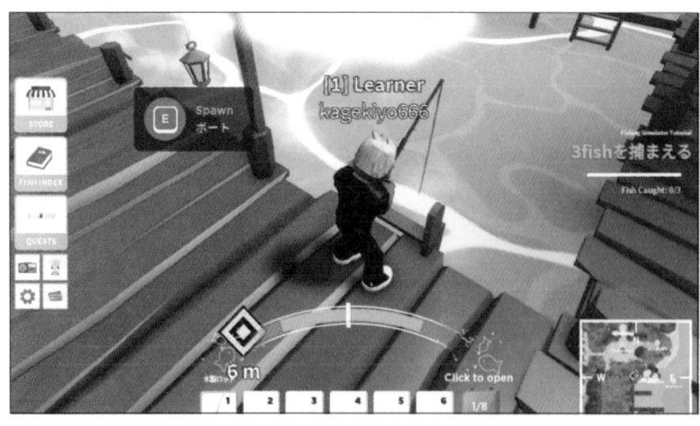

緑のゲージを維持できるようにタップして魚を釣ってみよう。

ほかのプレイヤーと対戦もできる

スーパーゴルフ!

URL | https://www.roblox.com/games/4468711919/Super-Golf

高評価 ▶ 83%　訪問者数 ▶ 2810万

強さと角度を決めてボールを飛ばすゴルフゲーム。といっても、転がして飛ばすので壁の反射も頭に入れよう。

頭脳を使ってホールにいれよう

強すぎると枠を飛び越えてしまうので、ちょうどいい強さを見極めよう。

カッコいいスニーカーでスケボーを乗り回そう

Vans ワールド

URL | https://www.roblox.com/games/6679274937/Vans-World

高評価 ▶ 91%　訪問者数 ▶ 9510万

シューズブランド『Vans』公式ゲーム。スケートボードに乗って、トリックコンボを決めよう！

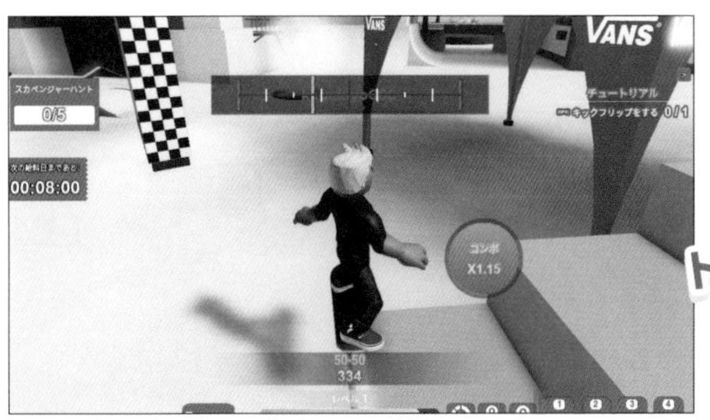

地形を利用してトリックを決めよう

スケボーでいろいろな場所を走り回っているだけでも楽しい。

ルール無用のスポーツスポット!

ナイキランド

URL | https://www.roblox.com/games/7462526249/NIKELAND

高評価 ▶ 78%　訪問者数 ▶ 3240万

スポーツブランド『ナイキ』公式ゲーム。街を舞台にさまざまな体験ができるようになっている。

鬼ごっこからダンスまで遊べる!

ゲームの説明文にアイテムがもらえるコードが書かれているぞ。

好きな車でドライブに出よう

アルティメットドライブ

URL | https://www.roblox.com/games/54865335/2x-Ultimate-Driving

高評価 ▶ 89%　訪問者数 ▶ 3.5億

オープンワールドの世界でドライブができる。ほかのプレイヤーにレースを挑むこともできる。

登場する車は100種以上!

なお、速度表示はマイル表記(1マイルは約1.6km)なので注意しよう。

華麗なダンクシュートを決めるのだ

スーパーダンク

URL | https://www.roblox.com/games/12244208211/Super-Dunk-WORLD-3

高評価 ▶ 95%　訪問者数 ▶ 2310万

タップでパワーを溜めて高くジャンプしてダンクシュートを決めるゲーム。超上空でダンクを決めよう。

宇宙まで飛ぶダンクも!?

ダンクを決めて手に入る勝利ポイントはペットの購入やアップグレードに使うぞ。

右打ちか左打ちか選べるぞ

ホームランシミュレータ2

URL | https://www.roblox.com/games/12778763805/NEW-Home-Run-Simulator-2

高評価 ▶ 89%　訪問者数 ▶ 12.9万

野球場でホームランを打つゲーム。ピッチャーはおらず、自分の好きな場所からボールを打つことができる。

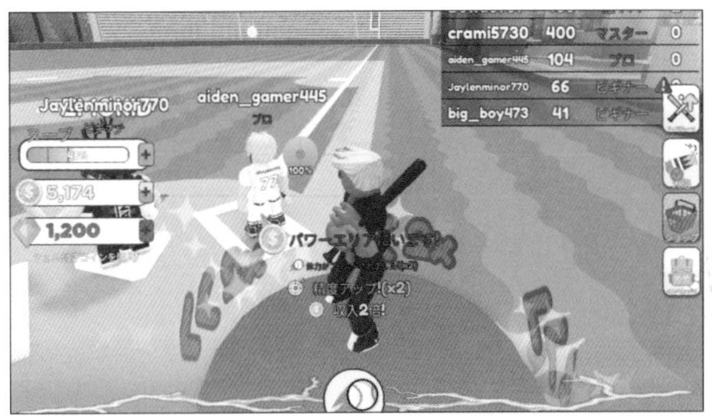

アップグレードで遠くまで飛ばそう!

パワーエリアに入ると、一時的に能力が上がり、お金も稼ぎやすくなる。

スーパージャンプで飛んでいこう

フライレース!

URL | https://www.roblox.com/games/6679968919/x2-Fly-Race

高評価 ▶ 97%　訪問者数 ▶ 1.1億

ひたすら遠くにジャンプするゲーム。落ちているロケットを拾ってパワーを溜めよう。

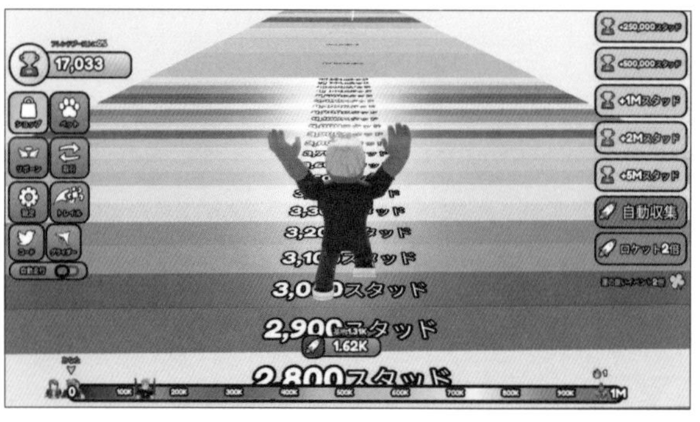

加速装置のような場所まで移動すると、自動でジャンプしてくれるぞ。

サッカー好きにはたまらない!?

FIFA ワールド

URL | https://www.roblox.com/games/9486506804/FIFA-WORLD-ADVENTURE-2-0

高評価 ▶ 89%　訪問者数 ▶ 1620万

FIFA公式ゲーム。サッカーをテーマにしたさまざまなミニゲームを楽しむことができる。

リフティングにPK戦、サッカーボールを使ったミニゴルフ風ゲームなどが遊べる。

普通のサッカーゲームとはワケが違う！

ネオサッカーリーグ

URL | https://www.roblox.com/games/7732789524/SHIDOU-6V6-Neo-Soccer-League

高評価 ▶ 88%　訪問者数 ▶ 2730万

アニメ『ブルーロック』をテーマにしたサッカーゲーム。左右にドリブルできたりテクニカルな動きができる。

原作の雰囲気をバッチリ再現！

スピーディーな動きが可能で、『ブルーロック』の雰囲気がよく出ている。

エゴイストになれ！

ブルーロックリーグ

URL | https://www.roblox.com/games/12426650444/Blue-Locked-League

高評価 ▶ 81%　訪問者数 ▶ 100万

3オン3で戦う『ブルーロック』風サッカーゲーム。人数に対してフィールドが広く、豪快なサッカーが楽しめる。

味方からもボールを奪い取れ！

ボールの取り合いになりやすいのが『ブルーロック』らしくて◎。

スポーツ強豪校(?)で競技に参加!

スポーツスクール

URL | https://www.roblox.com/games/10319501620/School-of-Sport-Baseball-SZN

高評価 ▶ 81%　訪問者数 ▶ 797万

野球やサッカーのほか、学校をテーマにしたオービーなども楽しめるゲーム。

学校でスポーツしよう!

野球ではタップで力を溜めてバットを振る。ピッチャーとしても参加できる。

さまざまなスポーツが楽しめる

プーマ&ザ・ランド・オブ・ゲームズ

URL | https://www.roblox.com/games/9281971995/Puma-and-the-Land-of-Games

高評価 ▶ 58%　訪問者数 ▶ 402万

スポーツブランド『プーマ』の公式ゲーム。サッカーやドッジボール、ランニングゲームなどが遊べる。

ペットはもちろんプーマなのだ

ランニングゲームは、『テンプルラン』のようなエンドレスランゲームだ。

第5章 スポーツ・その他編

ダンスの振り付けのエモートもあるぞ

TWICEスクエア

URL | https://www.roblox.com/games/12202678406/TWICE-Square

高評価 ▶ 94%　訪問者数 ▶ 681万

韓国の9人組ガールズグループ『TWICE』の公式ゲーム。脱出ゲームやTWICEのクイズゲームなどができる。

街にはジェットコースターがあったりと仕掛けも満載なのだ。

憧れのセレブ生活体験ゲーム

ハーモニカヒルズ

URL | https://www.roblox.com/games/11707114324/Harmony-Hills-RP

高評価 ▶ 90%　訪問者数 ▶ 572万

インフルエンサー、音楽家などの職業に就いて家を建てたり、車に乗ったりできるセレブ生活ゲーム。

好きな車を呼び出して乗り回せる。友達を家に呼んでパーティーなどもできるぞ。

理不尽な終わり方に耐えられる？

スライドを選択

URL | https://www.roblox.com/games/11309393788/Pick-a-Slide-Backrooms

高評価 ▶ 57%　訪問者数 ▶ 2690万

2択、または3択のクイズに答えていくゲーム。多い方は正解だが、少数派を選ぶとゲームオーバーになってしまう。

メチャクチャな選択ゲーム

選択は直感で選ぶしかないようなものばかり。考えずに飛び込もう。

むしろハズレの方を知りたいかも……

ドアを選択！

URL | https://www.roblox.com/games/6835256242/Pick-A-Door

高評価 ▶ 61%　訪問者数 ▶ 3300万

ドアを選んで正解なら進めるが、間違えたら即ゲームオーバー。ただ選ぶだけなので、謎解きも何も無いぞ。

ゲームオーバーの種類が豊富すぎる！

モンスターに襲われたりトラップにハマったり、ハズレのリアクションが楽しい。

日本では馴染みが薄いものが多い

ミーム・マーガー

URL | https://www.roblox.com/games/11636413564/UPD-Meme-Mergers

高評価 ▶ 89%　　訪問者数 ▶ 732万

ネットミーム（ネット上で流行した画像など）のブロックを合体させて、新たなネットミームを作るゲーム。

ブロックに書かれている数字は2の累乗で増えていく。タップでお金を稼げるぞ。

色おに+かくれんぼゲーム

Hide and Seek One Color

URL | https://www.roblox.com/games/12352623423/School-Hide-and-Seek-One-Color

高評価 ▶ 61%　　訪問者数 ▶ 1750万

自分が選んだ色のパーツの上では隠れることができるかくれんぼゲーム。

鬼側はどの色に潜んでいるか推理をしながら見つけていく必要がある。

テニスの聖地へレッツゴー!

ウィンブルワールド

URL | https://www.roblox.com/games/9463737803/WimbleWorld

高評価 ▶ 79%　訪問者数 ▶ 1260万

テニスの4大国際大会の1つである『ウィンブルドン』公式ゲーム。憧れのテニスコートでテニスをしてみよう！

プレイしてレベルを上げると無料アイテムをもらうことができる。

無料アイテムもゲットできる!

AOアドベンチャー

URL | https://www.roblox.com/games/11268121492/Ball-Kids-AO-Adventure

高評価 ▶ 76%　訪問者数 ▶ 787万

テニスの4大国際大会の1つの『全豪オープン』公式ゲーム。テニスのほかオービーなども遊べる。

テニスでレベルを上げたり、オービーをクリアするとアイテムをもらえる。

アメフトでゴールを決めまくれ!

フィールドゴールシミュレーター

URL | https://www.roblox.com/games/9030362964/Field-Goal-Simulator

高評価 85%　訪問者数 2890万

アメフトのフィールドゴールを決めまくるゲーム。距離や精度をアップグレードしてロングキックを狙おう。

遠くからゴールを決めろ!

遠ければ遠いほどお金を稼げる。お金はアップグレードに使おう。

筋肉は裏切らない!

マッスル投げ

URL | https://www.roblox.com/games/11756510601/Muscle-Throw-NEW

高評価 93%　訪問者数 463万

ダンベルを拾って力を付けて物を投げ飛ばすゲーム。ペットやアイテムを購入すれば、さらに遠くへ投げられる。

力の限り投げ飛ばすのだ!

最初はえんぴつだが、徐々に大きな物を投げるようになるぞ。

絵心がある人は誰？

SPEED DRAW

URL https://www.roblox.com/games/7074772062/Speed-Draw

高評価 ▶ 87%　訪問者数 ▶ 4.5億

決められた時間内に、出されたお題に沿って絵を描くゲーム。誰が上手だったかは評価を入れて決めるのだ。

色遣いもポイント！

時間は短いので、特徴を捉えて描きたい。それができれば簡単なのだが……。

ミニゲームを戦い抜こう

RBバトル！

URL https://www.roblox.com/games/5036207802/SAVE-THE-UNIVERSE-RB-Battles

高評価 ▶ 77%　訪問者数 ▶ 8530万

ミニゲーム集。記憶力を競ったり、ドッジボールがあったり、ゲームはさまざま。

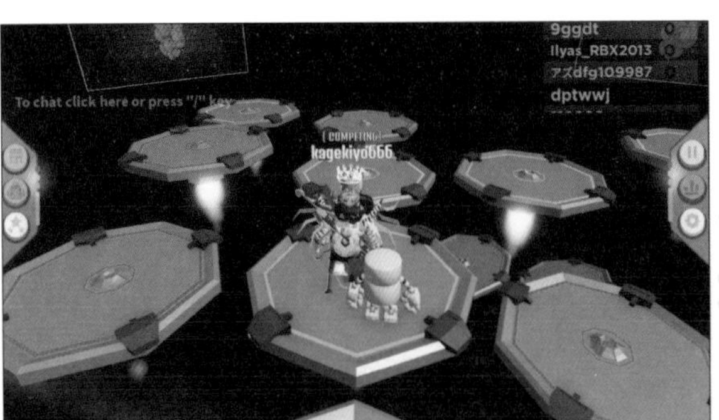

プレイヤー同士でミニゲームバトル！

表示されたフルーツの足場に残るゲーム。少し『フォールガイズ』風？

第5章 スポーツ・その他編

これが"普通"のわけがない!

普通のエレベーター

URL | https://www.roblox.com/games/230362888/The-Normal-Elevator

高評価 ▶ 92%　訪問者数 ▶ 5億

複数のプレイヤーが同じエレベーターに入れられる。そのエレベーターでは必ず何かが起こる……。

珍客に天変地異までなんでもアリ!

何が起こるかは実際にプレイしてのお楽しみ。友達同士で遊ぶとさらにオススメ。

TNTで穴を掘ろう

毎秒+1TNT

URL | https://www.roblox.com/games/12242130342/1-TNT-Every-Second

高評価 ▶ 86%　訪問者数 ▶ 1090万

『マインクラフト』に出てくるようなTNTが1秒に1個追加される。それを爆破して穴を掘っていこう。

TNTを使った発破の時間だ

TNTを溜めてから爆破させた方が威力は上がる。一気に爆破させよう。

あらゆる場所に放り込む!

トリックショットシミュレータ

URL | https://www.roblox.com/games/10425191433/Trick-Shot-Simulator

高評価 ▶ 80%　訪問者数 ▶ 1270万

ペットボトルを投げて立たせるなどの曲芸投げゲーム。いろいろなものを好きな場所に投げてみよう。

投げるアイテムを進化させよう

遠くから投げれば、お金がより多くもらえる。ギリギリのラインを狙おう。

抜く側ではなく抜かれる側だった

ジェンガ

URL | https://www.roblox.com/games/2537430692/Jenga

高評価 ▶ 75%　訪問者数 ▶ 1.8億

ジェンガのようなタワーの上に乗り、ブロックが抜かれてバランスが崩れていく中で生き残るゲーム。

倒れたあとも見学は自由

立っているブロックが抜かれると終わりなので、動きを見極めよう。

第5章 スポーツ・その他編

ここではすべてが無料!?

無料アイテムショップ

URL | https://www.roblox.com/games/10754938067/Free-item-shop-Free-item-shop

高評価 ▶ 75%　訪問者数 ▶ 3.1万

0Robux……つまり無料で購入できるアイテムショップ。ここでアバターアイテムを揃えるのもアリかも？

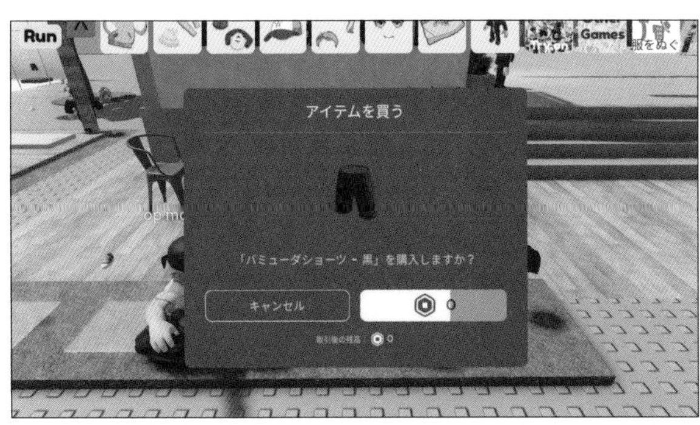

もちろん、残高0Robuxの状態でも購入することができるぞ。

無料アイテムゲーム

URL | https://www.roblox.com/games/4857298151/Free-Items-Game

無料でアイテムを手に入れられるゲームを紹介している。ワープ装置も付いているぞ。

アイテムゲットの方法は書いてあるが、すべて英語。ワープでそのゲームに飛べる。

Robloxイノベーションアワード投票ハブ

URL | https://www.roblox.com/games/9377039667/Roblox-Innovation-Awards-Voting-Hub

優れたゲームに送られる「Robloxイノベーションアワード」の投票ゲーム。

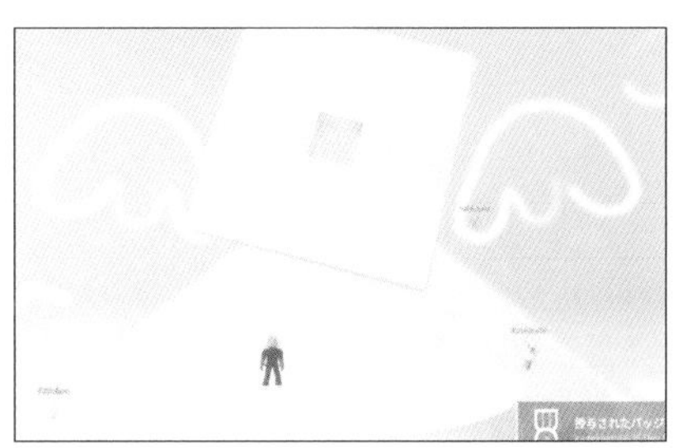

投票はもう締め切られているが、ミッションクリアでアイテムがもらえるぞ。

間違えた者には死が訪れる……

致命的な決定

URL | https://www.roblox.com/games/12434172731/Deadly-Decisions

高評価 ▶ 61%　訪問者数 ▶ 572万

2択の質問が表示され、徐々に真ん中の柵が上がっていく……。不正解を選んでしまうと無残にもやられてしまう。

不正解者は生き残れない！

問題のジャンルは参加者の誰かが選択できる。問題はちょっと難しいかも。

物や人を飛ばす

URL | https://www.roblox.com/games/6961824067/Fling-Things-and-People

落ちている物を掴んで投げるゲーム。プレイヤーも投げ飛ばすことができる。

成長要素などはとくに無く、掴んで回転させて投げるだけ、と超シンプル。

銀行強盗

URL | https://www.roblox.com/games/6048126703/Big-Bank-Robbery-Story

20世紀初頭の銀行強盗を捜査するアドベンチャーゲーム。ストーリーに沿って進めよう。

雰囲気はとてもいいが、メッセージなどはすべて英語となっている。

ROBLOXNPCが賢くなっています!

URL | https://www.roblox.com/games/6813414321/ROBLOX-NPCs-are-becoming-smart

『ロブロックス』の有名ゲームのNPCがさまざまな方法で襲ってくるジョークゲーム。

街を回ってNPCを探そう。理不尽な倒され方に怒ってはダメなのだ。

The Presentation Experience

URL | https://www.roblox.com/games/7772810845/The-Presentation-Experience

選ばれた生徒（プレイヤー）が教室の前に立って決められたテーマで発表を行う。

ほかの生徒は寝たり、おならをしたりと、発表を妨害することができる。

ただ走るだけと思いきや……

移動島

URL | https://www.roblox.com/games/5306359293/Island-of-Move

高評価 ▶ 85%　訪問者数 ▶ 5320万

タップで走る一風変わったゲームだが、走るモーションを組み合わせて作ることなどができる。

モーションを楽しむ新感覚ゲーム

ゲーム自体は同じコースをグルグルと回るだけなので、難しい要素は一切無いぞ。

フレディの究極のロールプレイ

URL | https://www.roblox.com/games/2788099687/Freddys-Ultimate-Roleplay

邪悪なフレディにチームで立ち向かおう。警官や見張りなど、役割に分かれて挑む。

役割は好きなように変えることができるが、スタート地点が変わってくる。

シャベルウェアの脳ゲーム

URL | https://www.roblox.com/games/7978512334/40-Shovelwares-Brain-Game

クイズ番組の舞台で行うクイズゲーム。バナナの司会者の指示に従おう。

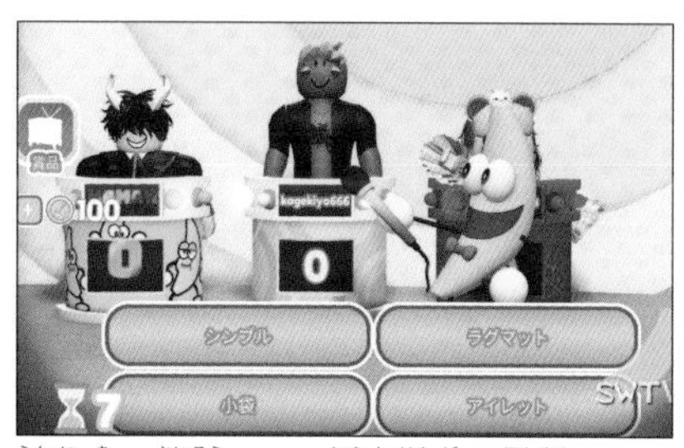

雰囲気は最高だが、中途半端な翻訳のせいで解答がわからないことも……。

女の子向けヘアサロン体験ゲーム

Sunsilk City

URL | https://www.roblox.com/games/9746160797/Sunsilk-City

高評価 ▶ 87%　訪問者数 ▶ 4890万

ポップでかわいらしい街を舞台に、ヘアメイクをしたり、ミニゲームができる。

無料アイテムもゲットできる

ヘアサロン以外にもさまざまなミニゲームで遊ぶことができるのだ。

アルバムのパーツを集めよう!

ジョージ・エズラのゴールドラッシュ・キッド・エクスペリエンス

URL | https://www.roblox.com/games/10057963710/George-Ezra-s-Gold-Rush-Kid-Experience

高評価 63%　訪問者数 469万

イギリスのシンガーであるジョージ・エズラのアルバムをテーマにした探索ゲーム。

傾いた家と自然の景色が幻想的で面白い。各地に散らばったパーツを集めるのだ。

ロゴを推測してください!

URL | https://www.roblox.com/games/4918634326/15th-Floor-Guess-The-Logo

さまざまなテーマのロゴやキャラクターの名前を当てるゲーム。15問で1セットだ。

答えることができれば扉が開く。ただし、英語で答える必要がある。

カントリーフラッグを当てよう

URL | https://www.roblox.com/games/5969910961/Guess-The-Country-Flag

左と同じような形式の国旗クイズ。難度別にコースが分かれているぞ。

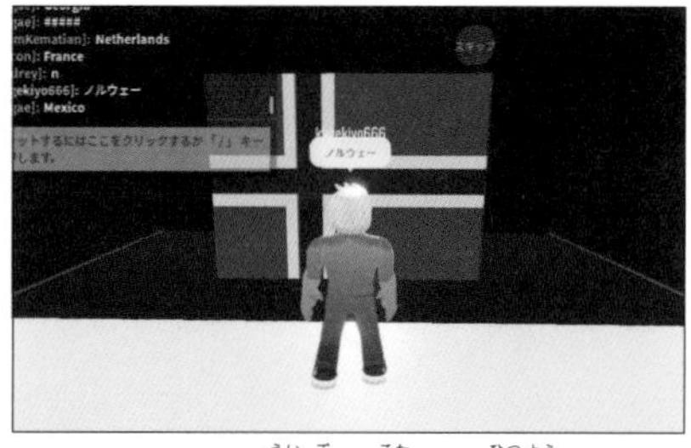

こちらもすべて英語で答える必要がある。日本語では反応しないのだ……。

色や柄を好みにするのが難しい!?

Loooptopia

URL | https://www.roblox.com/games/11700520283/Loooptopia

高評価 ▶ 77%　訪問者数 ▶ 572万

アパレルブランド『H&M』の公式ファッションゲーム。街にあるパーツを集めて自作の服を作ろう！

3つのパーツから服を作るのだ

服のベース、色の素材、柄の素材の3つを集めると服を作成できるぞ。

NFL ショップ

URL | https://www.roblox.com/games/7837709870/NFL-Shop

NFL公式ゲーム。リーグの各チームのグッズなどが展示・販売されている。

参加するだけでアメフトのヘルメットをもらえるのだ。

第8回ブロキシー賞

URL | https://www.roblox.com/games/6225076142/8th-Annual-Bloxy-Awards

『ロブロックス』の賞であるブロキシー賞の映像が見られる。約1時間かかる。

映像を観た後、ミッションをクリアするとアクセサリなどがもらえる。

レディ・プレイヤー・ツー・ハブ

URL | https://www.roblox.com/games/5967514178/Ready-Player-Two-Hub

このゲームから7つのゲームにアクセスできる。各ゲームでミッションをクリアしよう。

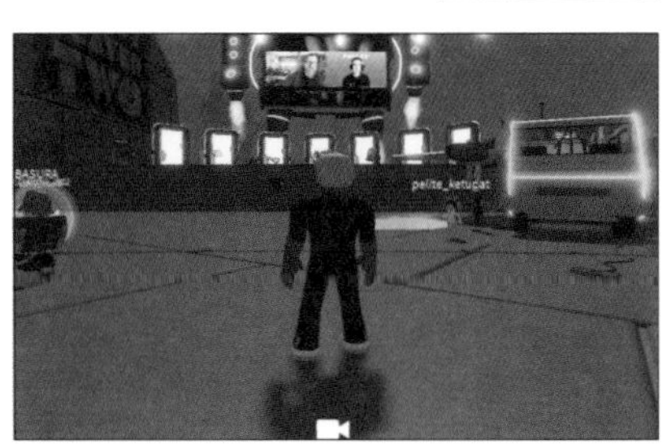

ミッションをクリアすることで、Tシャツと帽子のアバターアイテムがもらえる。

Roblox クリエーターチャレンジ

URL | https://www.roblox.com/games/1871632192/Roblox-Creator-Challenge

『ロブロックス』のゲーム作りに関するクイズ形式のゲーム。間違えてもやり直しOK。

全問正解でアイテムをゲットできる。大して時間かけずにクリアできる。

仕事は意外と地味系?

ビートランド

URL | https://www.roblox.com/games/8528736393/Beatland

高評価 ▶ 57%　訪問者数 ▶ 1470万

エレクトロニックミュージックのイベント会社によるゲーム。街で仕事をしてお金を稼いでアイテムをもらおう。

アクセサリやリアクションをゲット!

ポスター貼りや掃除など、仕事は音楽とはあまり関係ないものが中心。

WordBomb

URL https://www.roblox.com/games/2653064683/Word-Bomb

指定の文字から長く続ける言葉遊びゲーム。長い単語ほど高得点を稼ぐことができる。

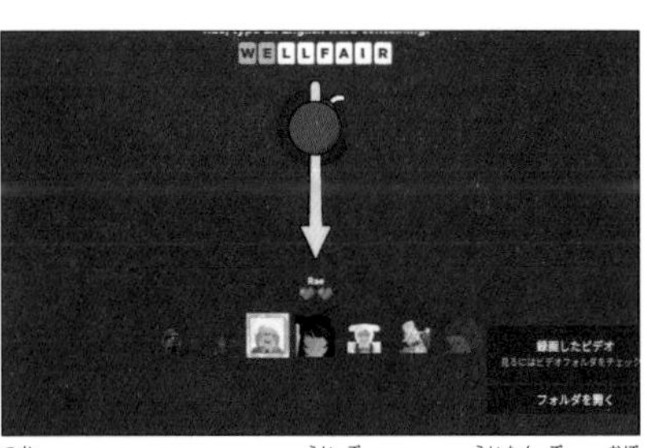

使えるのはもちろん英語だけ。英単語を覚える訓練には役立つかも？

積み重ね可能

URL https://www.roblox.com/games/3905564303/Stackables

ジェンガを遊ぶことができるゲーム。パスワードを設定して友達と遊ぼう。

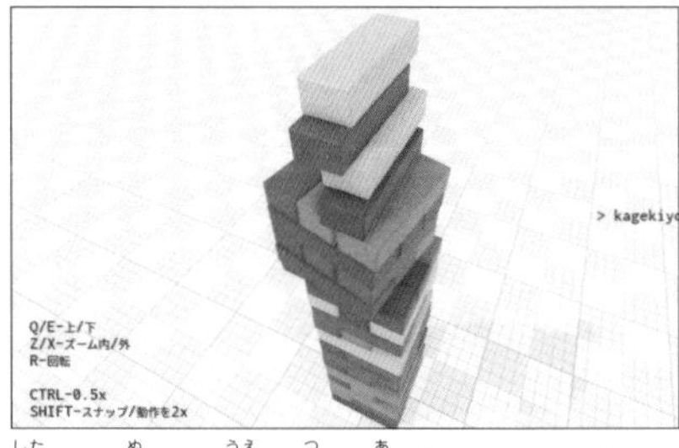

下から抜いて上に積み上げる。アングルを変えて、よく見て抜いていこう。

火星を調査してみよう!

火星探査

URL https://www.roblox.com/games/10840095864/Mission-Mars

高評価 ▶ 59%　訪問者数 ▶ 171万

ボストン科学博物館監修という火星探査ゲーム。ロボットの設計から行い、ミッションをクリアしていこう。

生物の痕跡は見つけられる？

自動的に宇宙服のキャラに変わる。日本語訳もしっかりされているのが嬉しい。

自分が描いた絵がゲームに登場するぞ

らくがき変身!

URL | https://www.roblox.com/games/12433625183/Doodle-Transform

高評価 ▶ 79%　訪問者数 ▶ 2160万

自分が描いた絵に変身することができるゲーム。絵に変身してワールドの中を歩き回れるのだ。

ほかのプレイヤーが描いた絵も見られる。ワールドの種類もいろいろある。

ゴールドロック

URL | https://www.roblox.com/games/9871297078/GOLD-LOCK-RIN-KENYU-ANIMATION-REVAMP

アニメ『ブルーロック』風のゲーム。キャラに変身してミッションを行なっていく。

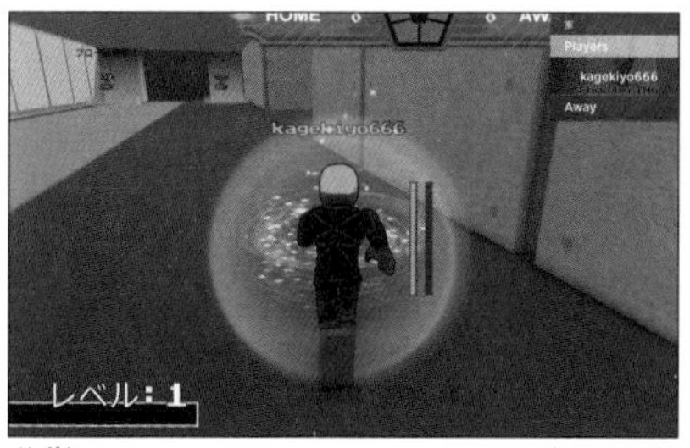

自分でステータスやポジションを決め、対戦で勝ち抜け！

Find The Anya

URL | https://www.roblox.com/games/9986188738/Find-The-Anya-16-Spy-x-Family

『SPY×FAMILY』のアーニャを探すゲーム。マップ内に散らばっているパネルを探そう。

アーニャはいろいろなところにいるので、がんばって探してみよう。

トミー・プレイ

URL | https://www.roblox.com/games/9129288160/Tommy-Play

高評価 ▶ 83%　訪問者数 ▶ 3540万

アメリカのアパレルブランド『トミー・ヒルフィガー』の公式ゲーム。街をウイングスーツで探索しよう。

街にはミニゲームも多数！

ファッションショーの動画などが街のいたるところで観られるぞ。

ハンドボール協会

URL | https://www.roblox.com/games/5498056786/Handball-Association

珍しいハンドボールのゲーム。味方プレイヤーとパスをつないでゴールを決めよう。

バスケットボールとサッカーを合わせたようなスピーディーな展開。

究極のレインボーフレンズRP!

URL | https://www.roblox.com/games/10699615172/BANBAN-Ultimate-Rainbow-Friends-RP

『ロブロックス』の有名ゲーム『レインボーフレンズ』の世界の体験ゲーム。

本家の『レインボーフレンズ』を知っていれば、より楽しめること間違いなし。

アイテム工場

URL https://www.roblox.com/games/7280506312/Item-Factory

武器を作るゲーム。作った武器は自分が装備してもいいし、売りに出してもOKだ。

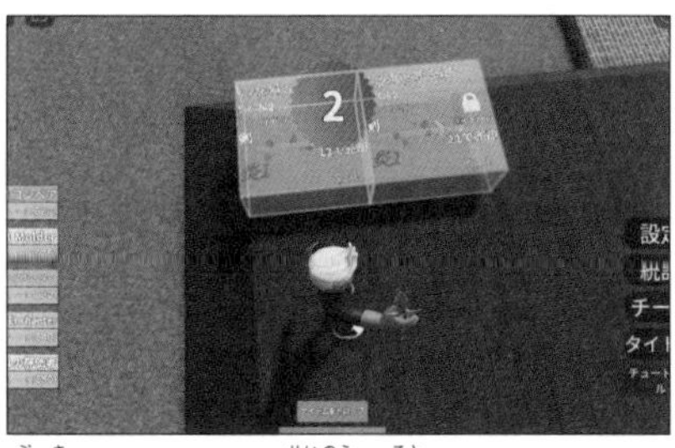

武器はランダムで性能が異なったり、さまざまな効果が付くことがある。

クイックサンド2!

URL https://www.roblox.com/games/11864709044/Quicksand-Two-BETA

砂や土に入ってしまうと底なし沼のように沈んでしまうオービーのようなゲーム。

落ちてしまっても、連打で脱出できることがあるので気合で連打しよう。

投げる角度が大事?

ボウリングパラダイス

URL https://www.roblox.com/games/3461002433/Bowling-Paradise

高評価 ▶ 89%　訪問者数 ▶ 232万

本格的なボウリングが遊べるゲーム。強さやカーブの強さなどを決めてストライクを狙おう。

もちろん対戦プレイもOK

フックと傾きの強さでカーブの方向や強さが決まるようになっている。

タンクレジェンド

URL https://www.roblox.com/games/11765695364/Tank-Legends

戦車育成ゲーム。戦車といってもかわいらしいペットのような見た目をしているぞ。

戦車にブロックを壊してもらってお金を稼ぎ、アップグレードしよう。

デイブ&バスターズワールド

URL https://www.roblox.com/games/11434430883/DAVE-BUSTER-S-WORLD

巨大なゲームセンターを舞台にしたミニゲーム集。台についてプレイしよう。

ほかのプレイヤーが遊んでいる様子が見られる。空いている台に座ってプレイしよう。

バスケットボールスター2

URL https://www.roblox.com/games/10298335542/Basketball-Stars-2

バスケットボールゲーム。シュートに少々クセがあり、慣れると面白い。

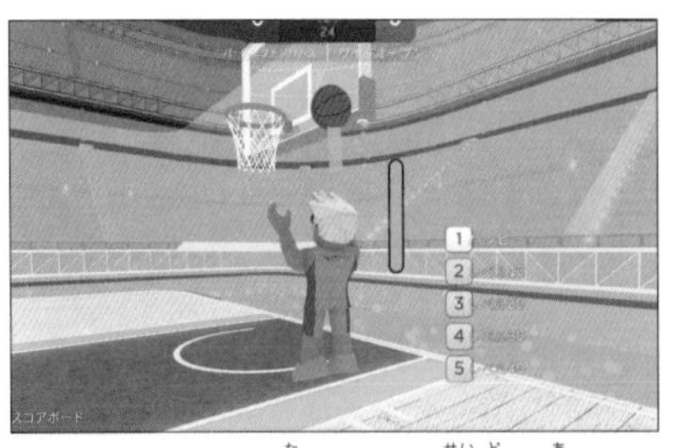

シュートゲージは溜めるほど精度が上がる。相手のブロックを避けてゲージを溜めよう。

スカイアイテム

URL https://www.roblox.com/games/12007630160/Sky-Items-Beta-292-Free-Items

無料アイテムをもらえるゲームを紹介している。入手方法が図解入りで見られる。

そのゲームで何をすればアイテムがもらえるか画像付きで紹介されているぞ。

第6章

Robloxでゲームを作ろう

「ロブロックス」でゲーム制作に挑戦!

「ロブロックス」のゲームを作るためには、「Roblox Studio」というアプリを使う。このアプリは無料で、ロブロックスに登録しているなら誰でもダウンロードできる。パソコンに入れる方法を見ていこう。

「Roblox Studio」を使ってみよう

「Roblox Studio」を使うための手順は、パソコンにダウンロード⇒インストール⇒起動してログインという流れだ。

1 「Roblox Studio」のダウンロードページに行く

公式サイト（https://www.roblox.com/create）にアクセスして真ん中の「制作を開始」をクリックしよう。

2 ダウンロードしてインストールする

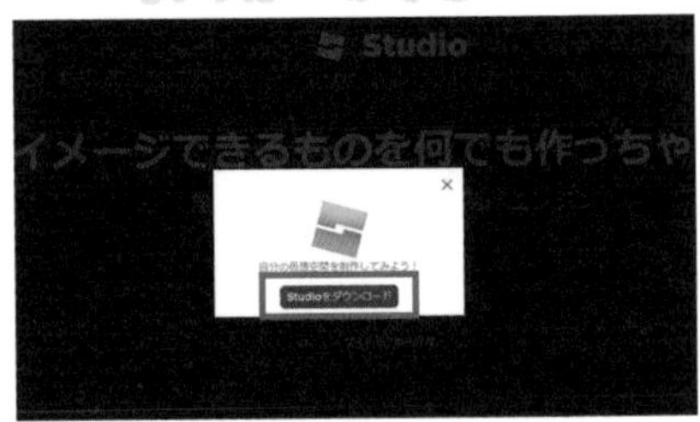

ダウンロードボタンが表示されるので、ダウンロードしたファイルを起動する。

3 インストールしたアプリを起動する

アプリがインストールされるとアイコンが表示される。これを起動するのだ。

4 アプリを起動してログインする

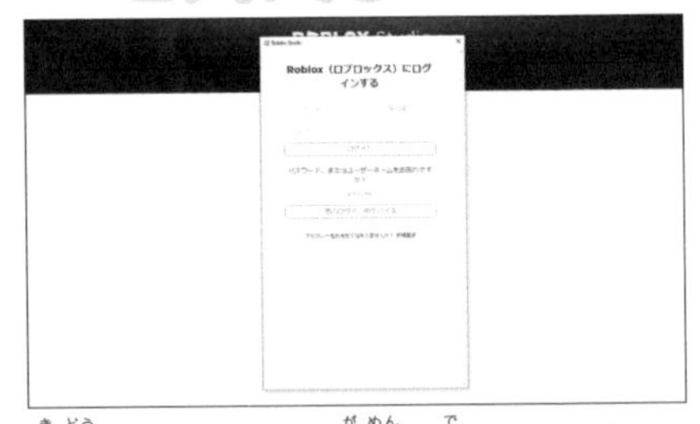

起動するとログイン画面が出る。「ロブロックス」のアカウントでログインしよう。

ゲームを作るために最初にすること

「Roblox Studio」を起動してログインすると、下の画像のような画面が表示される。ここからテンプレートを選んで、その世界にゲームを作っていくことになる。制作中のゲームにもアクセスできるぞ。

ゲーム作りをはじめよう

最初からゲームを作る場合は、ある程度の地形がすでに作られているテンプレートを利用すると楽に作ることができる。

1 「Roblox Studio」のメインメニュー

この画面では新規にゲームを作成するときのテンプレートを選ぶことができる。制作中のゲームを開くときは「マイゲーム」を選ぶ。

2 「新規」のタブをクリックしてベースを選ぶ

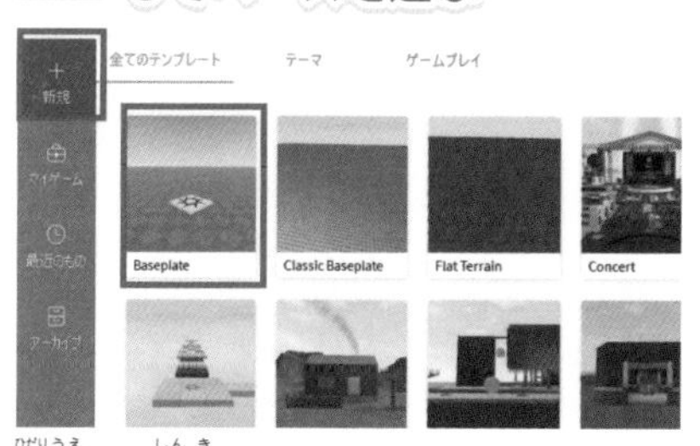

左上の「新規」のタブをクリック。シンプルな「Baseplate」のテンプレートを選択。

3 選んだ世界でゲームを作っていこう

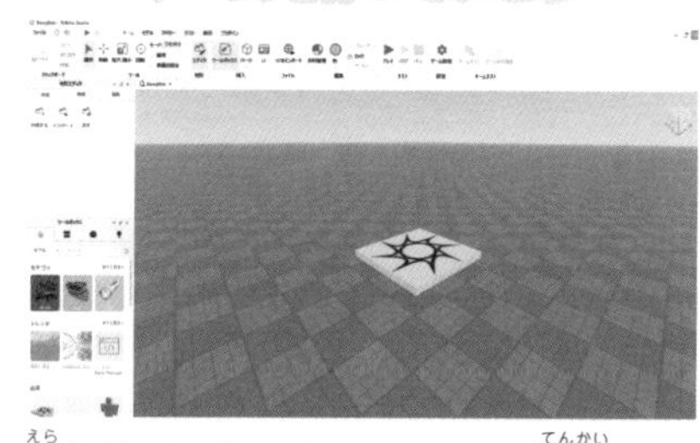

選んだテンプレートのワールドが展開する。ここから始めよう。

基本操作を確認しよう

ゲームを作るためには、まずは基本的な操作方法を覚えよう。使うキーの数は少ないので動きは覚えやすいが、ショートカットなどを使いこなせれば格段に便利になる。実際にやりながら確認していこう。

「Roblox Studio」の操作方法

操作に使うのはキーボードとマウスで、コントローラーで代用することはできない。マウスで画面上のアイコンをクリックして機能を選択していくが、一部はキーボードでショートカットすることもできるぞ。

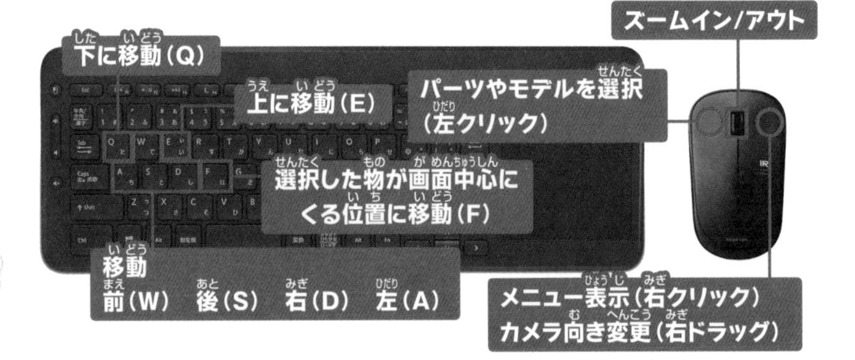

▶よく使うショートカット

ショートカット	作業名	作業内容
コントロール+Z	アンドゥ	1つ前にもどす
コントロール+Y	リドゥ	アンドゥ前にもどす
コントロール+C	コピー	選択アイテムを複製
コントロール+X	カット	選択アイテム切り取り
コントロール+V	ペースト	アイテム貼り付け
コントロール+S	保存	ファイルを保存する
F5	再生	ゲームをプレイ
シフト+F5	停止	プレイを止める

▶細かいカスタム設定はしない

ファイルのタブで開ける項目中の「Studio設定」でより細かい設定ができるが、最初のうちは使わないので触らないでおこう。

ゲームに置くオブジェクトを操ろう

ゲームを作るもっとも基本的な操作は、様々なオブジェクトを置いていくことだ。単に置くだけではなく、大きさや色、形状も自由に操作できるので、やり方を覚えながらワールドを作っていこう。

いろいろなパーツを置いていこう

まずは基本となるパーツを設置して、大きさや向きを調整してみよう。作業をスムーズに進めるために、前のページで紹介したショートカットも自由に使いこなせるようになっておくといいぞ。

▶「パーツ」で設置する物を選ぶ

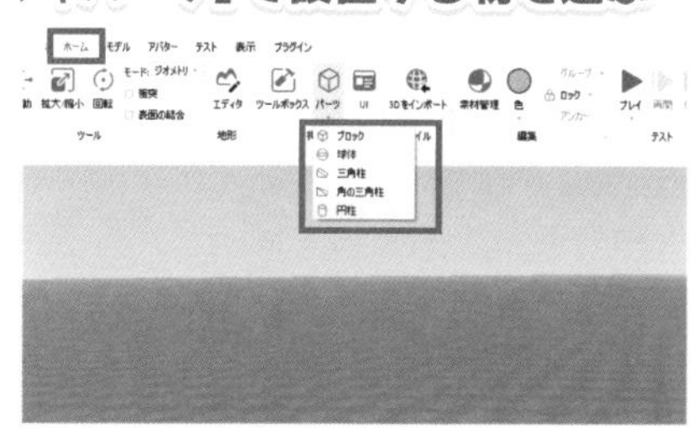

上の「ホーム」タブから「パーツ」をクリック。置きたい形のパーツを選択しよう。

▶選んだパーツを置こう

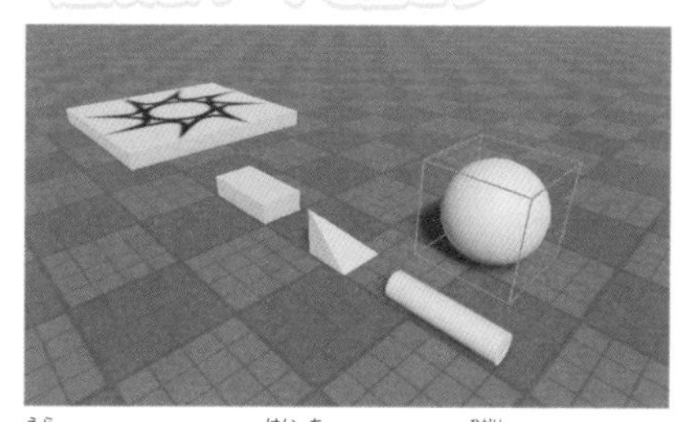

選ぶとパーツが配置される。左クリックで選択すると、移動などの操作が行える。

▶大きさ・向き・形を調整する

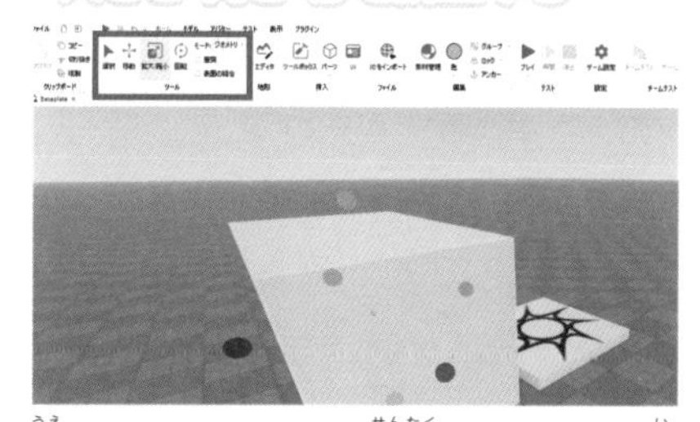

上にあるメニューで、選択したパーツの位置、大きさ、向きを変えるモードを選べる。

▶各モードのショートカット

ショートカット	切り替えるモード
コントロール+1（数字キー）	選択モード
コントロール+2	移動モード
コントロール+3	拡大・縮小モード
コントロール+4	回転モード
コントロール+5	変形モード

毎回上のメニューから選ぶのは手間がかかる。ショートカットで手早く切り替えよう。

パーツを合わせて1つのものを作ろう

パーツはまとめて選択して、1度に向きや大きさを変えたり、一気に消したりできる。さらに、合体してオブジェクトを作ったり、削り取ったり穴を開けたりすることも可能だ。家や橋などの複雑な形の物を置くためには、複数のパーツを組み合わせるやり方を覚えておくことが必須なのだ。

▶複数のパーツを選択する

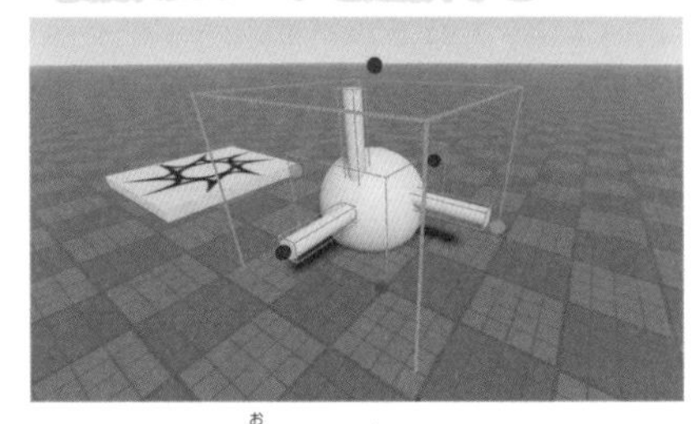

シフトキーを押しながらクリックすると、複数のものを同時に選択できる。

▶「ユニオン」でパーツをグループ化

複数を選んだ状態で「ユニオン」を選択するか「コントロール+G」で合体させられる。

▶反転とintersectで穴開け

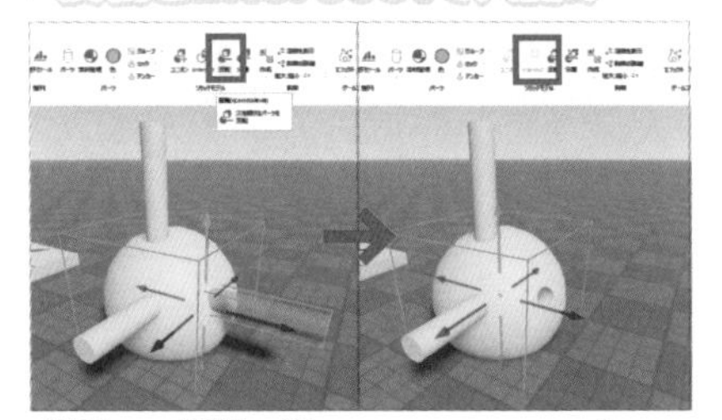

「反転」で片方を選び、「intersect」を押すと、選んだ方の形に合わせて削り取る。

パーツの色と素材を変えよう

▶パーツの素材を変更する

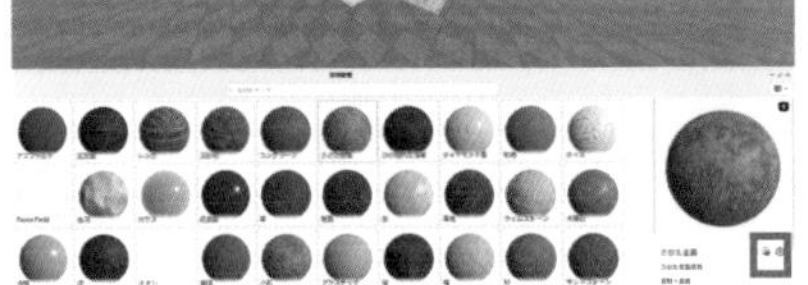

「素材管理」で素材を選び、パーツを選択肢て適用すると、パーツの質感が変化する。

▶パーツの色を変更する

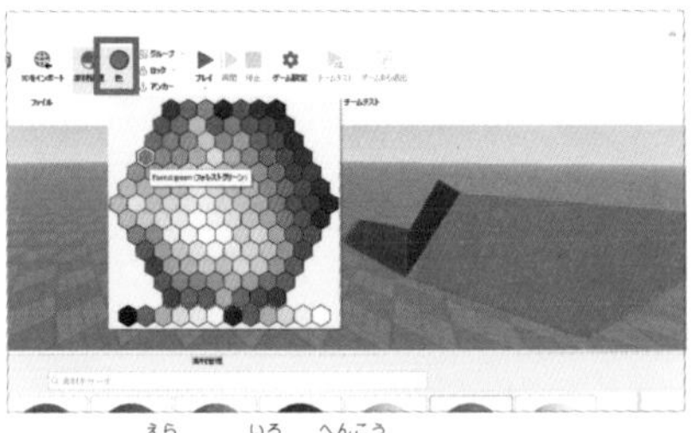

パーツを選んで色を変更することもできる。素材の変更と合わせることも可能だ。

エフェクトを追加してみよう

「エフェクト」の機能を使うと、選択したパーツに炎や煙、爆発などのを付けられる。やり方はとても簡単で、エフェクトを付けたいパーツを選び、上の「エフェクト」タブから付けたいエフェクトを選ぶだけでいい。ただし消すためには、これから紹介するエクスプローラの機能を使う必要があるぞ。

▶パーツに動くエフェクトが付く

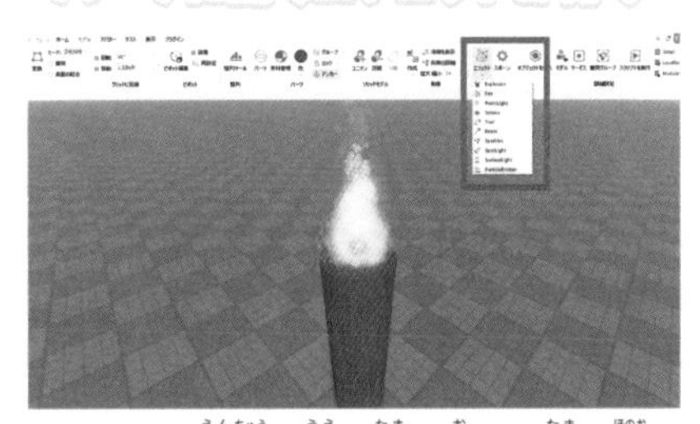

たとえば、円柱の上に球を置き、球に炎のエフェクトを付けるとこのようになる。

エクスプローラの見方を知ろう

▶パーツの索引機能が使える

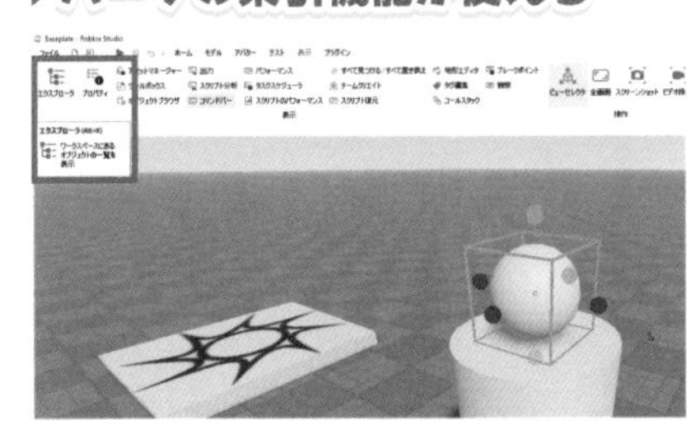

「エクスプローラ」のタグをクリックすると、横にウインドウが開く。

たくさんのパーツを置いていくと、それぞれにどんな色やエフェクトを付けたのかが分かりにくくなる。そんなときのために「エクスプローラ」を使おう。パーツを直接クリックしなくても、それぞれのパーツを選んだり、効果を設定したりできるようになっているのだ。

1 パーツを指定して操作したい項目を選ぶ

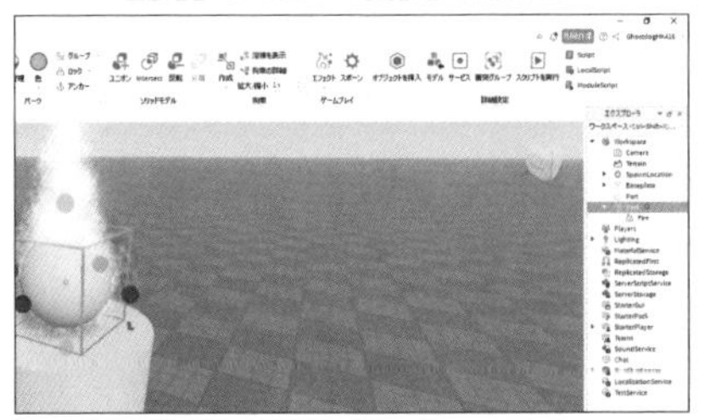

パーツを直接選ぶか、エクスプローラ内の項目を選ぶと、エフェクトなどが見れる。

2 エフェクトなどを消したり追加したりできる

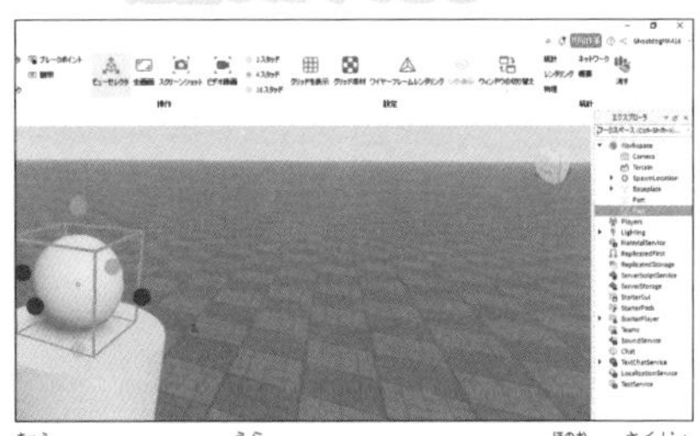

球のパーツを選んでエフェクトの炎を削除すると、炎のエフェクトが消える。

テストプレイをしてみよう

ゲームを作っている途中で動作を確認する必要が出てきたときは、再生ボタンを押すかF5キーで「プレイ」を実行しよう。作ったゲームの中でキャラを動かしてプレイができる状態に移行する。イメージした通りになっているか確かめてみよう。
終了するときはシフト+F5で元の作業に戻るようになっている。

▶再生してプレイの様子を確認

実際にプレイしてみないと、オブジェクトに付けた機能が分からない場合もある。

プロパティで特殊なオブジェクトにする

「プロパティ」を使えば、パーツごとにパラメーターを設定して、特殊な見た目や機能が付けられる。

▶プロパティで透ける壁を作る

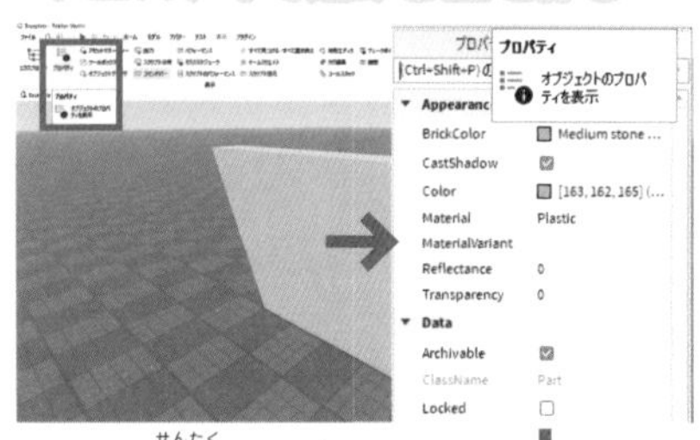

パーツを選択し「プロパティ」をクリック。チェックボックスや数値を操作する。

プロパティで設定できるよく使うパラメーター

▶透明度を変える

「Transparency」の項目の数値が0なら不透明、1なら完全な透明になる。

▶通り抜けられるようにする

「Can Collide」のチェックを外すと触れられなくなる。パーツは「シフト+L」キーで「その場に固定」しておこう。

▶特殊なパーツを追加する

上の「Search Object」を使って検索することで、基本とは違う形状のパーツを見つけて使うことができる。

▶椅子やドアを作る

パーツの設定を「Seat」にすると座れるようにできる。このほかに、ドアやブランコなどを作る設定もある。

地形エディタで地面を作り上げよう

ゲーム内ではパーツだけでなく地形も自由に作ることができる。その機能が「地形エディタ」だ。ゲームを作るのに欠かせないので、パーツの扱い方と並んで使いこなせるように練習していこう。

好きな地面を自由に作り上げる

「地形エディタ」をクリックするとウインドウが表示される。色を塗るようにして地形を置いていくのが基本だ。元の地形の形状や材質を置き換えることもできるぞ。

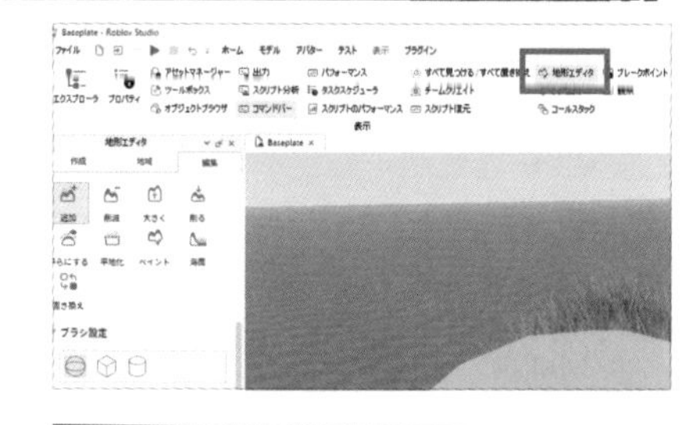

▶地形エディタで地面を作る

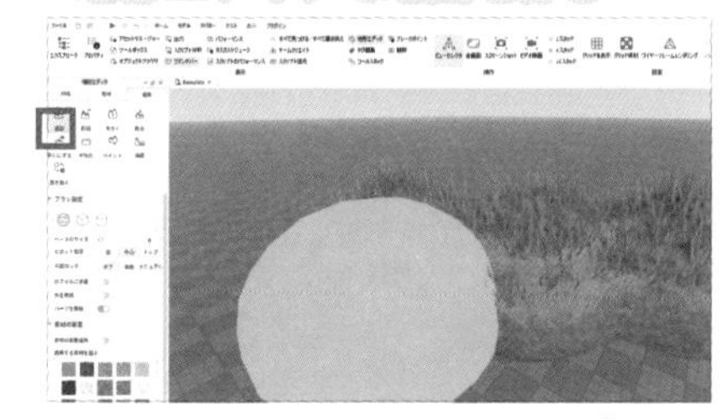

「追加」を使って、草地を置く。青い球の位置に置かれるぞ。

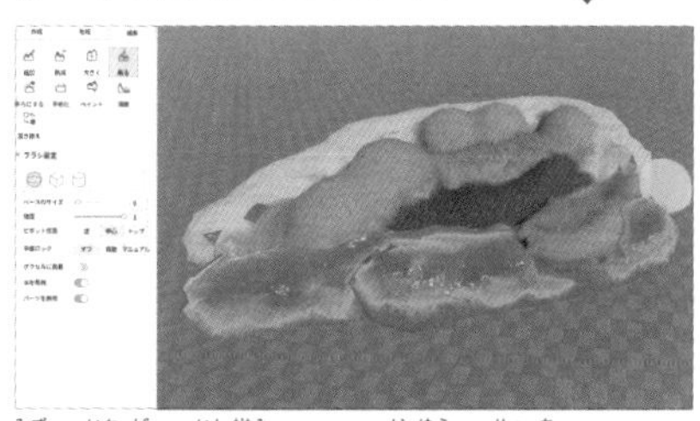

水、岩場、石畳なども自由に設置できる。絵を描くように地形を作っていけるぞ。

地形エディタで使える代表的な機能

▶追加・削除

設置する地形、大きさなどを選択し、筆で塗るようにして置くことができる。

▶大きく・削る・平らにする・平均化

設置した地形の形状を変更する。平均化は全体を一気に同じ高さに変えられる。

▶ペイント

置いた地形の見た目を変える。見た目だけでなく盛り上がり具合なども変わる。

▶置き換え

すでにある地形を別の物に変える。テンプレートの物を変えるときに便利だ。

ツールボックスで作業時間を短縮

「ツールボックス」はほかのユーザーが作成して公開しているパーツやモデルを使用できる機能だ。自分では作るのが難しい見た目や機能が付いた完成済みのオブジェクトを、そのまま使うことができるぞ。

あらかじめ作ってある物を使える

1 「ツールボックス」でウインドウを開く

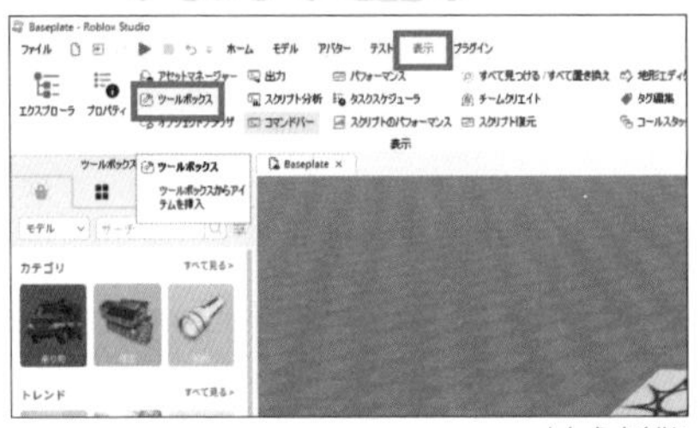

ツールボックスのウインドウは、新規作成の際には最初から表示されている。閉じてもまた開くことができるぞ。

「ツールボックス」は「表示」タブの「ツールボックス」を押すと、ウインドウが開いて使えるようになる。検索やカテゴリーで欲しい分野のモデルを探し、選択すればすぐに配置される。車であれば、見た目だけでなく、乗ったり走ったりする機能が既に備わっているものもある。モデルは制作者がアップロードした物で、すべて無料で使える。組み合わせたり、改造したりしてもOKだ。

2 欲しいオブジェクトの種類を探して選ぶ

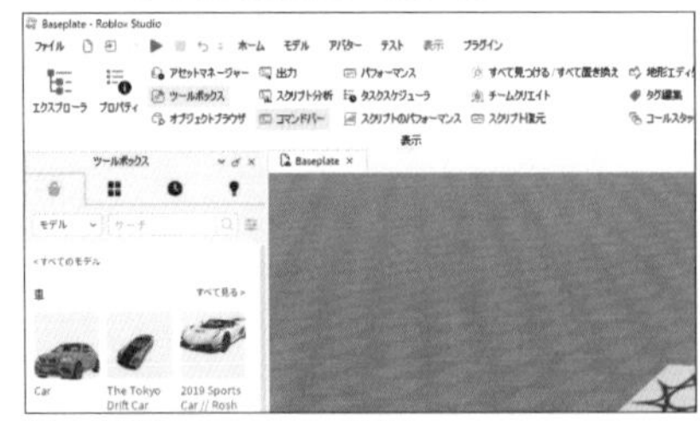

上の検索ボックスに入力するか、カテゴリから欲しいモデルを探そう。

3 完成済みのモデルがすぐに設置される

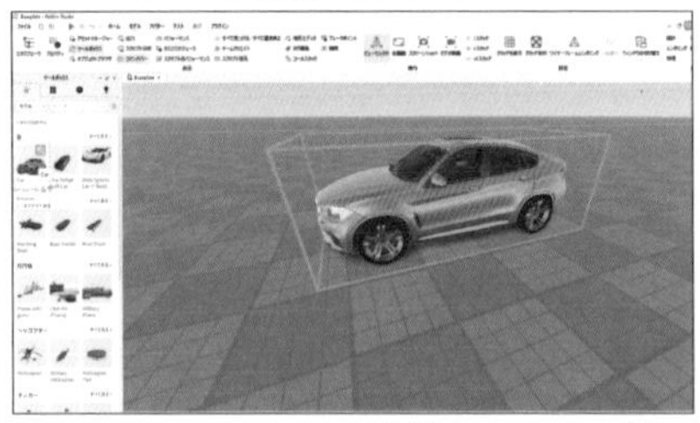

モデルが配置される。普通のパーツと同じように選択して動かせるぞ。

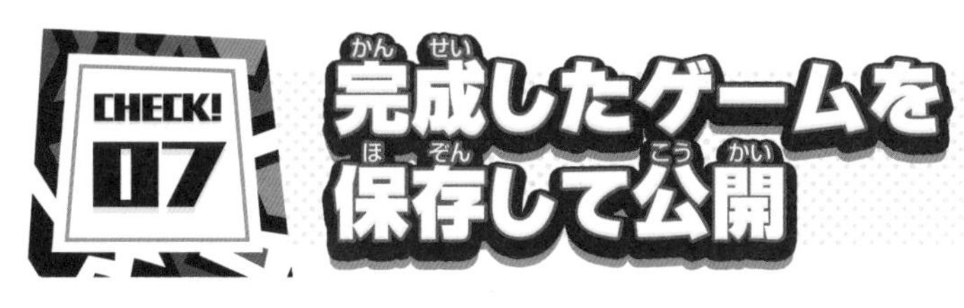

ゲームは制作途中で保存できる。このとき「ロブロックス」のクラウドサーバー上に保存することで、公開してプレイしてもらったり、他の人と一緒に作成したりできる。保存と公開の方法を知っておこう。

ゲームの保存先は2つある

まずゲームを保存しよう

保存は「ファイル」タブから行うか、ショートカットを使う。こまめに保存しよう。

保存先は自分のパソコンか「ロブロックス」のクラウドサーバーになる。クラウドサーバーでないとゲームの公開はできず、ほかのプレイヤーとの共同作業もできないので、基本はクラウドに保存しよう。パソコンで保存する場合はデータを移動できたりするので、作成中のものの予備を保存するなど使い分けよう。

公開情報を設定しよう

名前や権限の変更ができる

「ファイル」タブの「ゲーム設定」から変更できる。公開した後からでも変えられるようになっているぞ。

設定できる項目

項目名	内容
名称	表示されるタイトル。50文字まで。
説明	ゲームの内容説明。1000文字まで。
ゲームアイコン	サイズは512×512ピクセル。
スクリーンショットとビデオ	詳細画面に表示される画像。YouTubeビデオと画像が10枚まで登録できる。
ジャンル	ゲームジャンル。
権限(プレイできる者)	友達(友だちと自分のみ)、公開(誰でも)、非公開(自分のみ)

standards

はじめよう！ロブロックス ROBLOX

発行日	2023年6月10日
企画・制作	*standards*
構成・編集	カゲキヨ
編集	水谷圭佑
本文・表紙デザイン	ili_design

編集人	澤田　大
発行人	佐藤孔建
発行・発売所	スタンダーズ株式会社 〒160-0008 東京都新宿区四谷三栄町12-4 TEL 03-6380-6132（営業部）／03-6380-6136（FAX）
印刷所	中央精版印刷株式会社